W9-AXF-100

LA VIDA Y HECHOS
DE
ESTEBANILLO GONZÁLEZ

ESPASA
S A
C
CALPE S.A.

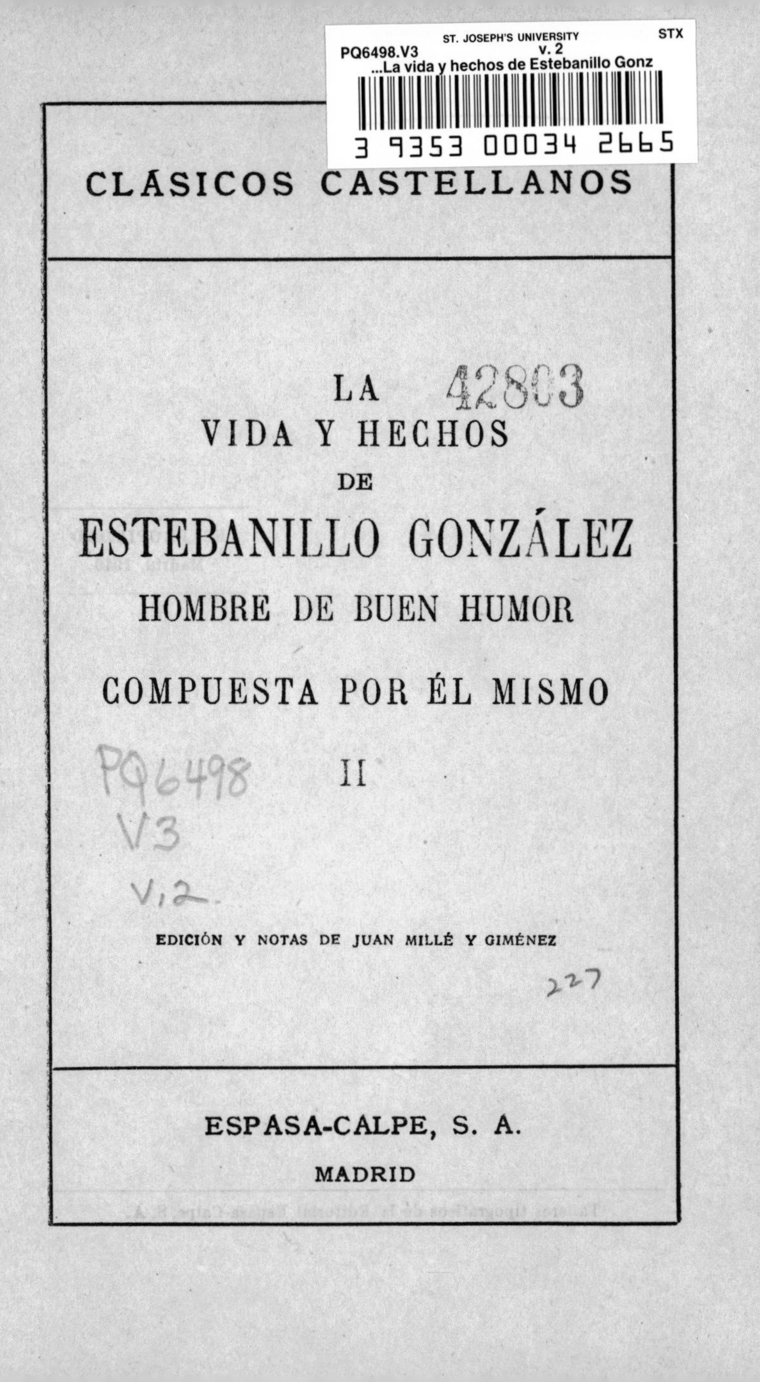

ST. JOSEPH'S UNIVERSITY STX
PQ6498.V3 v. 2
...La vida y hechos de Estebanillo Gonz
3 9353 00034 2665

CLÁSICOS CASTELLANOS

LA VIDA Y HECHOS DE ESTEBANILLO GONZÁLEZ

42803

HOMBRE DE BUEN HUMOR

COMPUESTA POR ÉL MISMO

II

PQ6498
V3
V.2

EDICIÓN Y NOTAS DE JUAN MILLÉ Y GIMÉNEZ

227

ESPASA-CALPE, S. A.

MADRID

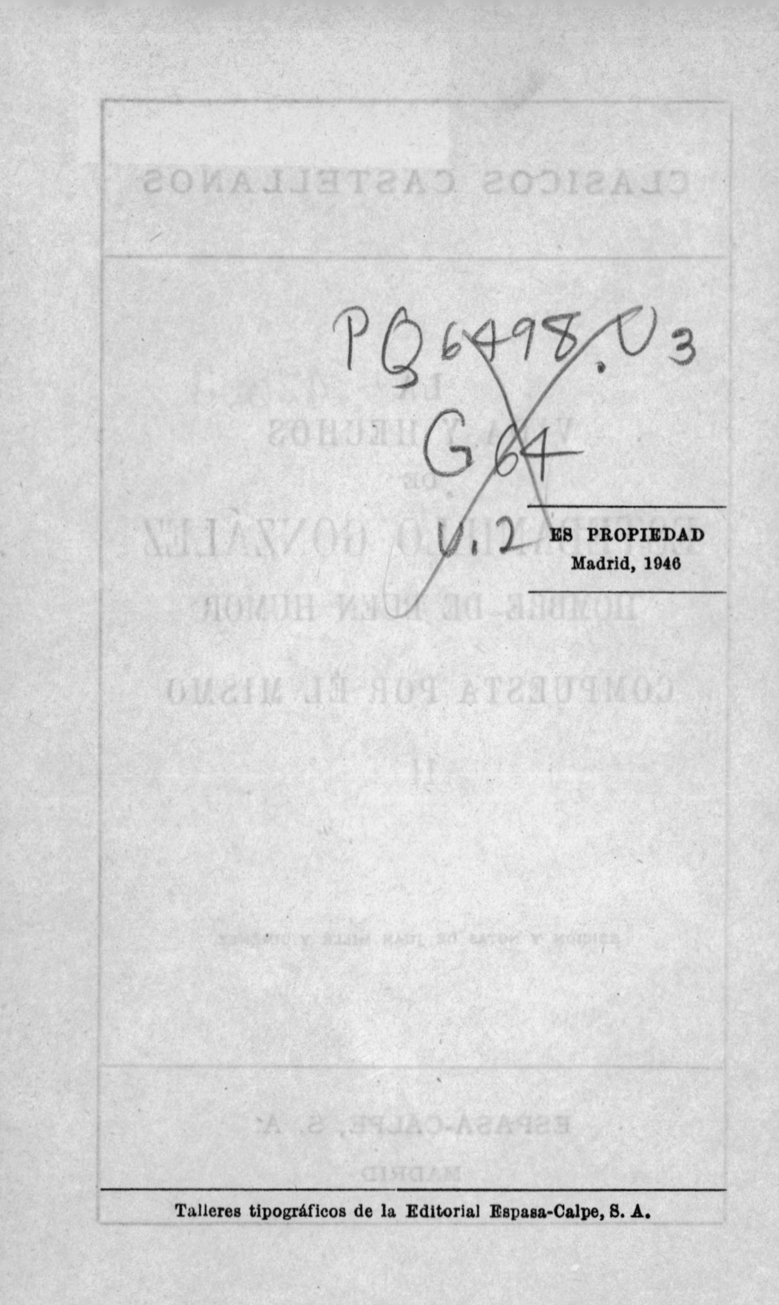

PQ6498.U3
G64
v.2

ES PROPIEDAD
Madrid, 1946

Talleres tipográficos de la Editorial Espasa-Calpe, S. A.

CAPÍTULO SÉPTIMO

[1634-1638 o 1639]

Que trata del viaje que hizo a los Estados de Flandes; una pendencia ridícula que tuvo con un soldado; la junta que hizo con un vivandero, y otros muchos acaecimientos 5

Después de haber celebrado una de las mayores vitorias que se han visto en los siglos presentes y en la mejor ocasión que han visto los humanos, se despidió Su Alteza Serenísima de su primo y hermano el Rey de Hungría, y volvió a continuar su 10 jornada, sin haber quedado contrario que se le opusiese. Halléme en esta marcha huérfano de amo, viudo de cocina, y temeroso de gastar, todo lo cual me obligó a sustentarme de mi trabajo y a poner nuevo trato. Di en hacer empanadas alemanas, por 15 estar en Alemania (que a estar en Inglaterra, fueran inglesas); buscaba la harina en los villajes

---

4 *Ridícula*, según la edic. de 1646. La de 1655: *redícula*. Análogamente ocurre en las págs. 44 y 54, t. II.

9 *Primo y hermano* en la edic. de 1655; *primo hermano* en las modernas. Eran primos hermanos, puesto que D.ª Margarita, mujer de Felipe III, fué hermana de Fernando II. Pero también podían llamarse hermanos (políticos), puesto que la esposa del Rey de Hungría era hermana del Infante don Fernando.

17 *Villajes*: *Vid.* pág. 213, t. I.

donde sus moradores se habían huído, y la carne en la campaña, adonde sus dueños de ella se habían desmontado; hacía cada noche media docena, las dos de vaca y cuatro de carne de caballo; echá-
5 balas a la mañana a las ancas de la yegua, sin ser ninguna de ellas la bella Tartagona, y en llegando la hora del rendibuy general, apeábame del dromedario, tendía el rancho sobre mi ferreruelo, sacaba dos ternas de dados, y hacía rifar mis empa-
10 nadas a escudo, quedando muchos quejosos de que no hiciese mayor provisión dellas, como si la campaña fuese tumba común de caballos muertos.

Decíanme algunos de los rifadores que era la carne muy dura, pero que estaban muy bien salpi-
15 mentadas; yo les respondía que era causa el ser la carne fresca, por no tener lugar para manirla, por ocasión de marchar cada día, pero que como tuviesen despacho y pimienta, no importaba nada la dureza.

20 Pasamos el Rin, y marchamos la vuelta de Crucenaque, y desde allí llegamos a Juliers, adonde

---

6 *Tartagona*, en las ediciones modernas. Las de 1646 y 1655 traen: *Tarragona*. Alúdese a cierto romance: «Bajaba el gallardo Hamete | a las ancas de una yegua | a la bella Tartagona, | hija del fuerte Zulema», que puede verse en *B. A. E.*, X, núm. 228.

7 *Rendibuy* (francés, *rendez-vous*): designa aquí el momento en que los soldados se juntaban para descansar de la marcha, comer y divertirse. *Vid.* pág. 191, t. II.

8 *Ferreruelo: Vid.* pág. 68, t. I.

20-21 *Crucenaque*. La edic. de 1655: *la vuelta Crucenaque*, por omisión mecánica del *de*. Es *Kreuznach*, ciudad de Prusia, prov. del Rin.

21 *Juliers*. Las edics. de 1646 y 1655: *Julies;* pero se-

Su Alteza Serenísima, acompañado de la caballería de Flandes, que le había salido a recibir y convoyar, se apartó del ejército, y se fué a dar alegrías a la grandiosa corte de Bruselas, que por instantes le estaban esperando. Mandó volver atrás 5 muchas de sus tropas, para si necesitase dellas en Alemania, juntamente con la gente de liga del Elector de Colonia y Maguncia y la de Su Majestad Cesárea, yendo Mansfelte por cabo de todas.

Fuéme fuerza volver la proa, por no ser mi ofi- 10 cio para encerrarme a ser cortesano. Añadí al trato de las empanadas aguardiente y tabaco, queso y naipes; y para tener en seguridad mi persona, y en guardia mis mercancías, me arrimé a la caballería española, yendo por cabo de ella y por su 15 comisario general don Pedro de Villamor. Pretendía el capitán de campaña que yo le pagase contribución de mi trato, conforme lo hacían los demás que proveían la caballería, y yo me eximí de ello de tal suerte, que siempre quedé libre como 20

---

guimos la lección correcta de la pág. 16, t. II. Ciudad y ducado del mismo nombre, en Alemania.

3 *Se fué.* El Infante llegó a Bruselas el 4 de noviembre de 1634. (*Cartas*, I, 116; Gossart, *L'auberge*, &, 54.)

5 *Estaban.* Acaso se suple *allí*, si no es errata, por *estaba*.

9 *Mansfelte;* no puede ser Pedro Ernesto, conde de Mansfeld, supuesto que era jefe protestante y falleció en 1626. (Garollo, *Diz. biogr.*) Se tratará, probablemente, de alguno de los parientes de éste.

10 *Volver la proa. A ser cortesano.* Así la edic. de 1646. La de 1655 omite *la* y *ser*.

16 *Don Pedro de Villamor.* Hacia 1643 fué nombrado teniente general de la caballería de Flandes. (*Cartas*, V 130.)

el cuquillo, porque alegué ser un compuesto de dos, ni vivandero llevando víveres, ni gorgotero llevando menudencias, porque ni tenía carreta como el uno, ni cesta como el otro, pues en rincones de ajenos carros llevaba todo mi caudal. Tuve, por ser entremetido, entrada en casa del Comisario General, y entraba una vez cada día a visitarle en su mesa, porque sabía que gustaba de ver a Monsieur de la Alegreza; y tres a sus carros y cantinas, por conservar la alegría del nombre; entremetíame con todos los señores, y como es de los tales perder, y de mercadantes ganar, jugaba a los naipes y dados con todos, y haciéndose perdidizos, por cumplir con la ley de generosos, yo cargaba con la ganancia, por mercader de empanadas caballunas.

Estando en Andernaque, encontré un día en una taberna al soldado que me ayudó a velar el difunto caballo junto a Norlinguen; y dándome vaya de que me había hallado debajo dél, yo le dije que estaba satisfecho de su persona, que a no haber hallado ocupado aquel sitio, que hubiera él hecho lo mismo; empezóse a correr y a decir que era más valiente que yo, y pienso que no mentía, aunque fuera más gallina que Caco. Yo, desestimando su persona y encareciendo mi coraje, le desafié a campaña, y descalzándome un zapato, le di un escar-

2 *Gorgotero:* así la edic. de 1646. La de 1655: *gorgorero.* Equivale a buhonero, que vende cosas menudas. *Vid.* pág. 11, t. II.
12 *Mercadantes: Vid.* pág. 82, t. I.
16 *Andernaque* es *Andernach,* ciudad de la Prusia Renana, a la orilla del Rin (Gregoire, *Dictionnaire.*)

pin, guante de mi pie izquierdo, por no tenerlo de las manos, en lugar de gaje y desafío y por cumplir con las leyes de retador; estaba él hecho un zaque, y yo una uva, y así no acertábamos a salir de la taberna. Los soldados que estaban presentes, 5 por ver cuál era más valiente o porque tal pendencia se ahogase en vino, nos adestraron a las puertas y nos salieron acompañando hasta fuera de la villa, y después de habernos medido las armas, nos dejaron solos y se apartaron de nosotros para vernos combatir. 10 Sacamos a un mismo tiempo las espadas, dando algunos traspiés y amagos de dar de ojos; empezóme él a tirar cuchilladas a pie quedo, habiendo de distancia del uno al otro una muy larga pica. Yo me reparaba y trataba de ofenderlo a 15 pie sosegado. Decíame de cuando en cuando:

—Reciba ésta, señor gorgotero fiambre.

Y yo, metido en cólera, aunque lo veía tan lejos, de que no me pesaba, le respondía:

—Déjela voacé venir, seor mal trapillo aserenado, 20 y reciba ésta a buena cuenta.

Y esto tirando tajos tan a menudo, que tenía hecho una criba al prado donde estábamos.

En conclusión, acuchillando nuestras sombras y dando heridas al aire, estuvimos un rato provocando 25 a risa a los circunstantes, hasta tanto que la descompostura de los golpes y el peso de las cabezas nos hicieron venir a tierra y nos obligaron a no podernos levantar. Acudieron los padrinos y

17 *Gorgotero: Vid.* pág. 10, t. II.

los demás amigos, y diciendo: —Basta, no haya más, que muy valerosos han andado, y ya los damos por buenos—; me asieron dos dellos por las manos, y no hicieron poco en ponerme en pie. Llegó un camarada mío a querer levantar a mi contrario, y al tiempo que se bajó para ayudarlo, imaginando que era yo y que lo iba a hacer confesarse por mi rendido, alzó la espada, y diciendo: —Antes muerto que rendido—; le cortó toda la mitad de un labio. Acudió al ruido el gobernador de la villa, y viendo a mi camarada desangrarse, y a los dos con las espadas desnudas, habiéndose informado de que éramos los autores de la pendencia, mandó llevarnos presos y hacer curar al herido.

Lleváronme a mí entre cuatro esbirros a la prisión, más en volandas que sobre mis pies, por no estar para sufrir la carga; y a mi competidor, porque sólo bastara un carro para poderlo menear, lo dejaron tendido en campaña, adonde como animoso combatiente estuvo de sol a sol.

Yo iba tan herido de las estocadas de vino, que ni conocí los que me llevaron preso, ni supe si la cárcel era cárcel, mesón o taberna. Estuve en ella cuarenta horas, y en todas ellas no supe qué cosa era despertar. Informaron al Comisario General de todo el suceso, y campadecido de mí, y por hacerme la merced que siempre me hacía, envió un recado al Gobernador pidiéndole que me soltase, supuesto que la pendencia que habíamos los dos

18 *Poderlo menear:* así la edic. de 1646.

tenido se apaciguaba con dos jarros de agua fría. El Gobernador, por complacerle, mandó que al punto me sacasen de la prisión. Llegó con la orden un criado suyo, y habiendo hecho no poca diligencia en despertarme, volví en mí. Y pareciéndome estar en otro nuevo mundo, extrañaba el lugar adonde me hallaba; contóme quién había sido la causa de mi libertad; y yo, haciendo cruces y pareciéndome salir de un castillo encantado, fuí a toda priesa a darle las gracias del buen tercio al Comisario General; el cual, después de haberme hecho relatar todo el origen de la pendencia y sucesos de ella, se rió infinito y mandó satisficiesen mi traspaso.

Y después de haber sacado el vientre de mal año, fuí a visitar mi rancho, el cual estaba como cosa sin dueño. Hallé el caballo boca abajo y pensativo, y más flaco que caballete de espadador. Miré los frascos del aguardiente, y hallélos de vacío como mulas de retorno, y las demás mercancías, algunas cercenadas, y otras que se habían huído en pies ajenos. No me dió cuidado esta no pequeña pérdida, porque eché de ver que con una docena de empanadas de rocines se satisfacía toda.

Llegamos a Chavamburque, villa del Elector de Maguncia, la cual hallamos desierta de todos bastimentos, casas yermas, y las caballerizas sin ningún sustento para los caballos. Aquí despaché muy bien una nueva provisión que había hecho de

14 *Traspaso: Vid.* pág. 118, t. I.

aguardiente, pero no me atrevía a pregonarla por las mañanas, por saber cuán bajo es el oficio de pregonero, y así la vendía cantando, por no ignorar cuán honroso es el del cantor. Llamábanme
5 todos por ser tan conocido, y porque gustaban de oír mis chanzas; brindaban a mi salud, y yo, haciendo la razón, volvíales a brindar a la de *aliquantum,* y a la de sus dineros. Emborrachéme brevemente, y el daño que yo mismo solicitaba lo
10 pagaban los frascos, por lo cual cada día había menester comprarlos nuevos.

Tuve vergüenza los primeros días de ir a comer continuamente a la posada del Comisario General y a la de don Cristóbal Salgado; pero viendo tantos
15 peinados gorreros acudir con tanta puntualidad y cuidado, pensando que eran tablas de obra pía, y que se comunicaban con todo particular viniente, acudí de allí adelante a gozar de la limosna o a comer de bonete, porque si las gorras que se me-
20 tían fueran lanzas en Orán, ya ha muchos días que estuviera el Africa por nuestra.

Gastaba las horas del día en esta forma: desde el alba, hasta las nueve, ejercitaba el oficio de destilador de aguas, que este título le había dado, por-
25 que no me llamasen aguardentero, a quien tenía entrada y amistad con todos los oficiales mayores

6-7 *Haciendo la razón: Vid.* pág. 151, t. I.
7-8 *Aliquantum* es adverbio latino que equivale a «un poco».
El texto parece hallarse estragado. El significado más probable podría ser: «un poco a su salud y otro poco a sus dineros».

del ejército; de las nueve a las once hacía mis empanadas y las vendía, y de las once a la una era visitador general de las cocinas ajenas, sobrestante de las ollas, reconocedor de las cazuelas, superintendente de los asadores y pesquisidor de los vinos; 5
de la una a las tres era veedor de las dos mesas referidas, gracejo de sus dueños y ejecutor de sus despojos; y de las tres hasta ponerse el sol, merchante de quesos y estanquero de naipes.

Tuve un día una pendencia con un marmitón so- 10
bre quién sabía fregar mejor una olla. Entramos en la cocina a hacer la prueba, y por haber él dado mejor razón de su oficio, siendo él aprendiz y yo maestro, y hacer burla de mí, le di con los cascos de la olla en los de su cabeza, quedando tan rotos 15
los unos como los otros. Fuíme a amparar de don Carlos de Padilla y de otro capitán de corazas. Y estando un día con ellos pensando tener asegurada mi persona, llegó el Comisario General, y por habérsele quejado el que tocó casco, sin ser jugador 20
de espada negra, me dió media docena de palos tan bien dados, que me obligaron a tenerlos hasta hoy en la memoria. Viendo que no me valía la inmunidad de mi sagrado, les dije a los que tenía por mis

---

17 *Don Carlos de Padilla.* Está citado en la relación de la campaña de 1641 por Vincart. Quizá es el mismo que hacia 1648, siendo ya maestre de campo, fué ajusticiado en Madrid, por haber entrado en cierta conspiración. (Rodríguez Villa, *El coronel Francisco Verdugo*, 179; Cánovas, *Hist. de la decadencia de España*, 481; *Varias relaciones*. en *Libros raros y curiosos*, XIV, 256.)

23-24 *La inmunidad.* Las edics. de 1646 y 1655 suprimen el *la.*

valedores que, conforme el libro del duelo, aquel agravio no corría por mi cuenta. Ellos, riéndose al compás que yo lloraba, me llevaron a la casa del dicho Comisario General, y haciéndome brindis a
5 su salud, hicieron las amistades.

Marchamos otro día de mañana a la vuelta del Rin, en virtud de una orden que había enviado Su Alteza Serenísima para que volviésemos muy apriesa a socorrer a Brabante. Iba yo muy triste,
10 porque me habían informado, entre otras cosas, no ser bueno aquel país para mis mercancías, por la sutileza de ingenio y gran trato de su burguesía, pero alegre por la generosidad de sus príncipes y señores, y por ser tierra rica y abundante
15 adonde, si tenía mala venta mi aguardiente y tabaco, tendría buen despacho el arte de la bufonería. Pasamos a Juliers, a Estevans, Werta y Diste, y llegamos a Tirlemón, adonde estaba Su Alteza Serenísima, opuesto a los ejércitos de Francia y
20 Holanda. Juntéme en la dicha villa con una aña-

---

1 *Valedores* se lee en la edic. de 1646, a la cual seguimos. La de 1655: *valederos.*

17 *Juliers;* así en la edic. de 1646; la de 1655: *Julieres:* *Vid.* pág. 9, t. II.

Estevans, localidad que no hemos identificado.

Werta, ha de ser *Weert*, en la línea del f. c. de Amberes a Aix-la-Chapelle. (Baedeker, *Belgique et Hollande*, Leipzig, 1881, 118.)

Diste será *Diest*, en la misma línea. *(Ibíd.)*

18 *Llegamos a Tirlemón* dice la edic. de 1655; pero es Tirlemont, en Bélgica. Esto ocurría al comenzar la guerra con Francia, a fines de mayo de 1635. Tirlemont se rindió poco después, cometiendo los franceses inicuas tropelías anatematizadas por Quevedo. *(Libros raros y curiosos,* XIV, 60-62; Quevedo, *Obras, B. A. E.)*

20 *Juntéme.* Las edics. de 1646 y 1655: *Juntamente.*

didura de vivandero y una tilde de mercadante. Puso él de su parte la carreta, tienda, potes y embudos, y yo un caballo y todo aderezo de cocina. Agregué un poco de dinero que tenía de pequeño caudal, con el que él se hallaba, y habiendo hecho 5 una razonable provisión y una escritura de estar a pérdida y ganancia, él se ocupaba en vender el vino y cerveza, y yo en hacer pulpetas de oveja y ollas de carne mortecina, por costarnos a precio muy moderado. 10

Sentía por extremo el verlo entrar cada momento en la cocina a dejarme desproveído de guisados, porque sin duda, en las muestras que daba, presumo que se había hallado en la rota del Príncipe Tomás, y que los enemigos lo habían tenido 15 alguna semana atado a un árbol de pies y manos, sin darle sustento humano. Desbautizábase él en ver que yo visitaba por instantes la pipa del vino, que a la de la cerveza siempre le guardé respeto, porque me pareció orines de rocín con tercianas. 20 Iba cada día a menos nuestro caudal, porque él comía por ocho, y yo bebía por ochenta, sobre lo cual venimos a reñir, y cada uno por su parte nos fuímos a quejar al Auditor General, el cual, informado de la justicia de cada uno, teniendo a novedad tan 25

14-15 *La rota del Príncipe Tomás:* sin duda, la derrota que los franceses infligieron a los españoles, mandados por el Príncipe Tomás de Saboya el 20 de mayo de 1635, cerca de Namur. (*Colec. de libros esps. raros y curiosos*, XIV, 56; Lafuente, *Hist. de Esp.*, Barcelona, 1888, XI, 251.) La acción transcurre pocos días después de esa derrota. (*vid.* página 16, l. 18, t. II.) *Vid.* pág. 51, t. I.

gracioso pleito, nos divorció sin ser obispo, mandándonos separar de nuestra alianza. Partimos los bienes muebles que cada uno había traído, mas no los gananciales, por hallarnos de pérdida y con
5 algunas deudas. No me pareció proseguir más con el dicho oficio, y así me determiné de ir a ver la corte de Bruselas, por ver si conformaba su vista con su grandiosa fama.

Llegué a Lovaina, insigne universidad de Bra-
10 bante, y refrescándoseme la memoria de mis estudios pasados, por proseguir en ellos, me entré en un escolástico tabernáculo, adonde tomando un calepino de tragos, en poco espacio, pensando hablar romance, hablaba un latín tan corrompido, que
15 ni yo lo entendía, ni nadie lo llegaba a entender. Salíme fuera de la muralla a desollar en campaña el animal que había cogido en poblado, de raza de las primeras letras de la villa; detúveme en quitarle el pellejo no más de treinta horas, por causa
20 de despertarme las cajas y trompetas de guerra, que daban muestras de la llegada de Su Alteza a aquella villa; porque a no servirme de despertador juntamente con la artillería, con que se le hizo salva, yo entiendo que durmiera hasta el día
25 de hoy.

12-13 *Un calepino de tragos:* es decir, bebiendo vinos de distintas clases. Alude al famoso diccionario políglota de Calepino (nota de la edic. de Michaud, pág. 128).

17-18 *De raza de las primeras letras*, de Lovaina. Téngase en cuenta que el autor, repetidamente, llama *lobo* a la borrachera. *Vid.* pág. 18, t. II.

Levantéme con molimiento de cuerpo, dolor de cabeza y boca de probar vinagre; llegué aquel mismo día a Bruselas, adonde hallé ser excusada toda alabanza para tan grandiosa población. Contempléla por plaza de armas de la Europa, por escuela de la milicia, por freno de rebeldes, por espanto de enemigos, por esmalte de lealtad y por pasmo de hermosura. Vi sus altivos muros, puertas y torreones, que siendo competidores de los pirámides egipcios, son columnas sobre quien el Atlante español fía el peso de su celeste máquina y monarquía Veneré sus campos por Elíseos, sus salidas por jardines de Venus y sus bosques por recreación de Diana. Hallé toda su nobleza en campaña, por lo cual y por hallarme sin dineros, y ser tierra que quien no labora no manduca, me volví a seguir el ejército. Y después de haber entrado los ejércitos enemigos con pies de plomo y retirádose con pies de pajas, me fuí a ver la celebrada antepresa

9 *Pirámides*, masculino.

18-19 *De haber entrado con pies de plomo y retirádose con pies de paja.* Se refiere a la precipitada fuga de los franceses, apenas llegó Piccolóminí con los refuerzos (julio de 1635). Perdieron cerca de 15.000 hombres. (*Col. de libs. esps. raros y curiosos*, XIV, 99 y siguientes.)

19 *Antepresa.* El fuerte de Schenck (alemán: *schenke*, taberna) estaba situado en una isleta sobre el Rin y tenía gran importancia militar. Fué ganado por los españoles, por medio de una atrevida sorpresa nocturna, el 27 de julio de 1635. (*Col. de libros esps. raros y curiosos*, XIV, 104 y siguientes.) Probablemente, la acción transcurre muy poco después de esa fecha.

Esta *antepresa* sería acaso una cortadura o canal que se hizo por los españoles una vez tomado el fuerte, para dificultar que fuese atacado por el enemigo. (*Ibid.*, 114.)

Pero *antepresa* puede significar también *empresa*, o *sor-*

del fuerte del Escuenque, adonde hallé a don Carlos de Padilla, capitán de corazas españolas, que por haber conocido mi alegre modo y haberme defendido de los palos referidos, se me mostraba aficionado; y como me había visto solícito con el comercio de la bucólica, me hizo vivandero de su compañía, dándome carro, caballos y dineros, debajo de palabra de préstamo y con cláusula de darle los víveres necesarios a su casa al mismo precio que yo los comprase en las villas: costumbre tan antigua en la milicia, en que se ha establecido por ley inviolable.

Fuí a la villa de Calcar, adonde cargué de todo lo competente a mi tráfico; y en particular busqué una criada de las que se usaban en campaña: mercadante en la tienda, criada en la mesa, fregona en la cocina y dama en el lecho; de tierna edad, para que no ocupase el carro ni cansase los caballos con el volumen de su persona; y de buena cara, para atraer los huéspedes. Volví a mi cuartel, planté el bodegón y empecé a hacer lo que siempre había hecho, y lo mismo que hiciera ahora si volviera a tal oficio. Daba al capitán la mercancía peor y la que menos me costaba, y la que se maltrataba por razón de los golpes del carro, contándosela a mucho más de aquello que me costaba. Acudían a mi tienda infinidad de Adonis a la añagaza de la criada, y ca-

presa. Vid. pág. 205, t. I: «con que estaba asegurada de cualquier antepresa y de cualquier cautela enemiga». Análogo sentido tiene también «interpresa» = acción militar súbita e imprevista.

yendo en la red sin ser Martes, despachaba ella su mercancía y yo la mía; pero entre tanta abeja que acudía a los panales, pegados los pañales en la trasera, solían venir unos zánganos y moscones, que me llevaban más de una traspuesta que yo ganaba en veinte asomadas.

Pero viéndome corrido y enfadado de que al maestro le diesen cuchillada, me aparté por unos días de mi compañía, por gozar del refrán de "quien se muda Dios le ayuda", aunque me ayudó conforme a mi buena intención; y para llevar más tren y ostentación, le pedí a un capitán, conocido mío, una carreta prestada, diciéndole no ser más que para un convoy, y ofreciéndome al buen tratamiento del caballo; con la cual y el carro que llevaba, me hice vivandero de verdad, habiéndolo sido hasta allí de mentira.

Arriméme al mayor grueso de la caballería española, adonde cada día iba creciendo el caudal y aumentándose el crédito y la opinión; mas la codicia, que siempre rompe el saco, y el vicio de hallarme con tanto descanso, me incitaban a jugar cada instante con la gente más lucida de las tropas, entendiendo ganar por todas partes. Mas un día, que fué noche para mí, aunque después lo fué de pascua, habiendo perdido con don Pedro de Villamor lo que quizá en la villa, haciendo el amor, había ganado la criada, le supliqué que me jugara la carreta y caballo, que aunque no era mío, co-

1 *Sin ser Martes:* alude a la red con que Vulcano prendió a Venus y Marte, según la mitología.

rría plaza de serlo. Hizo lo que le pedí, y echando quínolas más que un quebrado, y flujes, que para mí eran de sangre, me ganó el corto caudal que yo había adquirido y la carreta y caballo que es-
5 taban en confianza. Volvíme a mi tendejón, cabizbajo y pensativo, adonde pensando hallar consuelo, se me doblaron los pesares, añadiendo pena a pena y pérdida a pérdida; porque la criada, habiendo tenido noticia de que había jugado lo mío y lo aje-
10 no, había hecho pella como el escarabajo de lo mejor que yo tenía y acogídose sin cañamar, dejándome la tienda sola. Por cuya causa, aprovechándose algunos caballos ligeros de la ocasión, por salir pesados, la entraron a saco, como si fuera
15 pabellón de enemigos.

Halléme fuera de cuidado de no tener que guardar, y con sólo el carro y caballos de mi capitán, que por razón de conocer ser suyos, no pasaron por la misma rifa. Busqué un pan fiado, para que
20 se desayunasen, siendo ya las nueve de la noche, y hartándolos de agua, los volví a la estala tan tristes, que me persuadí que habían sabido mi pérdida, y no la hubieron de ignorar, pues ayunaron de sentimiento della a pan y agua.
25 Venida la mañana, me envió a llamar don Pedro

---

13 *Caballos ligeros* (soldados de caballería ligera), lo que hace equívoco con *caballos pesados* (de caballería pesada).
19 *Rifa.* Preferimos esta lectura a la *risa,* que figura en las ediciones modernas.
21 *Estala* es italianismo. Italiano: *stálla,* del antiguo alemán *stal,* alemán *stall,* lugar cerrado. Equivale a *cuadra.* (Petrocchi, *Dizionario:* Franciosini, *Vocabolario.*)

de Villamor, y dando muestras de su valor y liberalidad, me volvió todo lo que me había ganado, dándome de más a más, lo que me alegró el alma, me confortó el corazón y me desterró la tristeza. Salí de su casa hecho un carretero de la Mancha, 5 y dándole tras cada alabanza un millón de bendiciones, volvíme a mi compañía, di la carreta a su dueño, y mi capitán, que ya sabía todo lo que me había pasado, viendo sus caballos que hilaban tan delgado que podían saltar por arco como perros de 10 rezadores, preguntándome si les había dado la ración en dineros, me los quitó tan colérico, que pensando que me quería pagar el porte de habérselos traído, me fuí de su compañía, antes que él me echara della. 15

Halléme dos días antes con carro, carreta y criada y mucha mercancía, y en el que de presente me hallaba compré un saco de pan y un rocín viejo y cargado de muermo, el un ojo ciego y el otro bizco a puras nubes, y que se acordaba del asalto 20 de Mastrique por el Príncipe de Parma. Carguélo con el costal, y hacíame dos mil reverencias, o por ver que había en el mundo quien se acordase dél, o por suplicarme que le quitase lo que no podía llevar. Fuíme con él al regimiento de caballos del 25

21 *Mastrique* es Maestrich, ciudad holandesa del antiguo ducado de Limburgo. Vuelve a nombrarla así en varios otros lugares, tal como era uso en España. Recuérdese una comedia de Lope de igual título: *El asalto de Mastrique*. Este famoso hecho de armas tuvo lugar en 1579.

22 *Hacíame*. Las edics. de 1646 y 1655: «haciendome».

Marqués Vizconte, llevándolo del cabestro para servirle de guía, y refrescándolo a cada tiro de arcabuz y dejándolo descansar todas las veces que él quería. Vendí mi pan, compré dos frascos de 5 aguardiente, hice mi barraca; y para comprar ollas, sartenes, calderos, potes y tazas y tener que dar de comer y beber, embauqué a todo el regimiento, sin quedar soldado a quien no pidiese prestado; y como muchos pocos hacen un mucho, junté 10 una buena cantidad, con la cual me volví a armar de nuevo.

Pero toda la ganancia y los préstamos no fueron bastantes a poder tener aquel oficio en pie, porque era tanto lo que yo bebía, que cuando pensaba ir 15 muy adelante, me hallaba muy atrás. Apretábanme los acreedores, a quien pagaba con buenas palabras, pero jamás con buenas obras; pero advirtiendo ellos que, a costa suya, por la mañana hasta mediodía estaba atolondrado de aguardiente, y de 20 medio día hasta la noche de *puramente capiamus*, dieron al auditor muchas quejas, por *debitoribus nostris;* y una mañana, al son de una trompeta, hicieron almoneda de todos mis asadores, parrillas,

---

1 *Marqués Vizconte,* y no *de Vizconte,* como dicen las ediciones modernas. Es, sin duda, un señor italiano, de la noble familia *Visconti,* acaso don Teobaldo, marqués de Cislago y conde de Gallarate, general español († 12-I-1674), de quien trata Garollo (*Diz. biogr.*, verb. *Visconti,* núm. 63). Otro Visconti (Vercellino, 1603-1679), fué también general español. (*Ibid.*, núm. 104.)

16 *Acreedores.* El texto, *deudores.* Lo creemos errata, y corregimos así (lo mismo que más adelante, pág. 25, l. 4, t. II: *deudor*), de igual modo que las ediciones modernas.

16 *Quien: Vid.* pág. 79, t. I.

cucharas, morteros, rallos, trébedes y tenazas, y de todos los demás trastes, pareciendo más almoneda de baratillo o mercado viejo que bienes de vivandero. Cada acreedor cargó con lo que pudo, y ninguno se atrevió a cargar con el caballito de Bamba. 5 Yo, viendo que, sin valerme las leyes de la espera, me habían dado sentencia de remate, me despedí harto tiernamente de mi querido rocín, y él a disculparse conmigo de no hallarse con fuerzas para poder acompañarme. 10

Amparéme de los capitanes, y ayudándome entre todos para ayuda de los gastos del camino, me fuí al regimiento del Conde de Fuenclara, el cual había ido a Alemania, con orden de Su Alteza Se-

---

5 *El caballito de Bamba* (que es un rocín viejo y cargado de muermo) nada tiene que ver con el rey godo Wamba, aunque la anarquía ortográfica del tiempo podría permitir suponerlo.

Un pasaje de Tirso de Molina (*Don Gil de las calzas verdes*, III, 7: «¡Pero que tenga yo un amo en el mundo | como el macho de Bamba que ni manda, | ni duerme, come o bebe y siempre anda!») nos hace formar la sospecha de que se trate de algún cuentecillo folklórico.

Y esta sospecha se acrecienta con otros datos: «Muy como a niño le tratan, | pues sus caballitos eran | como el de Bamba.» (Catalina Clara de Guzmán, *Poesías*, Badajoz, 1930, págs. 187 y 256); «Aquel machico de Bamba», baile antiguo, recordado por Pellicer, *Trat. hist. sobre el origen del histrionismo*, I, 137. Téngase en cuenta que existe en la provincia de Valladolid una villa llamada Bamba, y en la de Zamora un lugar que lleva igual nombre.

Véase lo que antes (t. I, pág. 94) hemos dicho acerca de otra expresión (*potros de Gaeta*) que como la presente debía de ser de gran uso en la jerga de los postillones y soldados con quienes convivía Estebanillo.

13 *El conde de Fuenclara*. Su misión a Alemania está confirmada por cierta relación. (*Col. de libs. raros y curiosos*, XIV, 98.) A 2 de julio de 1635 llegó el Conde de vuelta,

renísima, a pedir socorro a la Cesárea Majestad del Emperador para poder echar destos Estados los ejércitos agregados de Francia y Holanda. Fuí a hablar a Pedro de Caravajal, su teniente coronel, 5 el cual anduvo tan bizarro (conociendo mi sujeto), que me prestó con qué poder levantar cabeza y encastillarme en la vivandería. Compré una carreta y dos caballos, cerrados de edad y abiertos de espinazo, con más faltas que un juego de pelota; 10 pero animales quietos y sosegados, y que siempre buscaban su comodidad.

Marchamos al contorno de Mastrique, a cobrar algunas contribuciones, yendo por cabo de toda nuestra gente el Marqués de Leyden; y volviéndo- 15 nos a retirar, los buenos de mis caballos dieron en decir nones, y aunque los mataba a palos, jamás tuvieron atrevimiento de tirar coces; y esto viniendo la carreta vacía y yo caminando a pie, que a venir cargada, hubiera más de seis horas antes 20 que necesitara de cargar con ellos y traerlos a cuestas. El uno, que era cabezudo como aragonés, dió en que no había de pasar adelante, y salióse con ello hasta ciento y un año, por cuya razón me fué fuerza quedarme muy atrasado de las tropas y 25 venirme en buena conversación con el otro, suplicándole que me hiciese merced, por otra tal, de no dejarme hasta llegar al cuartel. Tropecé en el ca-

---

con aviso de que Piccolómini pasaba el Mosa con refuerzos. El Conde está citado, hacia 1637, en *La corte y monarquía, &*, por Rodríguez Villa (pág. 181).

4 *Pedro de Caravajal*, según las edics. de 1646 y 1655. Las modernas: *don Pedro de Carvajal.*

mino con seis soldados de una partida de holandeses que habían salido de Mastrique; y al tiempo que llegaron a despojarme, vi más adelante una emboscada de hasta otros veinte. Y pensando que eran de nuestra gente, les empecé a dar voces para que me viniesen a ayudar. En el ínter procuré de escurrirme de los que me tenían cercado. Acudió toda la emboscada, con lo cual yo cobré ánimo, y empecé a dar voces, diciendo:

—¡Viva España, y muera Holanda! Ea, soldados, paguen estos luteranos la amistad que me querían hacer.

Llegó toda la tropa, y como me oyeron que engañado los trataba tan mal de palabra, me dieron media docena de mochazos, y me dejaron tan de valentía en el donaire, y donaire en el mirar, que me daba el sol por la parte que le dió a don Bueso.

Lleváronme a mí y al señor mi caballo presos a Mastrique, teniendo a dicha el ser prisionero, por vengarme del tal rocín, viéndolo en poder de enemigos. Diéronme por cárcel una taberna, que era lo que la mona quería. Pasó la fama que era un vivandero rico, por lo cual esperaban de mí una

---

15 *Mochazos: Vid.* pág. 31.

17 *Don Bueso:* vejestorio ridículo, héroe de cierto romance («En la antecámara solo, *B. A. E.*, XVI, número 1719), ha medido el suelo, juntamente con su caballo, y «No me pesa —dijo a voces— | de haberme rompido el cuerpo, | mas pésame por las calzas, | que por detrás se han abierto. | Riéndose están las damas | de ver corrido a don Bueso, | *y que donde nunca pudo,* | *daba el sol de medio a medio*». Corramos un velo sobre el asunto y compadezcamos, en su apurada situación, a don Bueso y a nuestro protagonista.

gran ración, y por Dios que se engañaban, no en la mitad del justo precio, sino en todo y por todo.

Al cabo de algunos días, viendo que se alargaba la prisión y crecía la costa, pedí licencia para hablar al Duque de Bullón, que era gobernador en aquella villa, la cual se me concedió, y cercado de chuzos y alabardas, como paso del prendimiento, me llevaron a casa del dicho Duque, al cual hallé que estaba comiendo, cercado de camaradas y con grande ostentación. Hice mil cortesías, dime un centenar de tapabocas poniéndome la planta de las manos en los labios, como besos de amantes secretos, echéme a sus pies, y que quiso que no quiso, le di un par de paces de Judas, dejándole los zapatos limpios de polvo y lodo. Hízome levantar, y preguntóme que cuánto daría por mi ración. Referíle muy triste que Su Excelencia me mandara dar de beber para echar aquel susto abajo, y que después trataríamos de cosas de gusto, y no de

---

1 *Ración.* Estebanillo castellaniza así el francés *rançon = rescate*, preparando el equívoco, que va en seguida a aprovechar, con *ración* de comida. La edic. de 1646: *ranción.*

5 *El duque de Bullón* ha de ser Federico Mauricio de La Tour d'Auvergne (1605-1652), general francés y duque de Bouillon. Aunque se trata del gobernador de Maestrich por los holandeses, nótese que éstos y los franceses combatían juntos contra los españoles. Dicha plaza constituía, durante la campaña de 1635, el principal depósito de los prisioneros españoles, y al fin de la misma campaña se fugaron muchos de calidad. (Vid. *Varias relaciones*, 50 y 127.)

12 *Besos.* En las edics. de 1646 y 1655: *versos.* Pero lo tenemos por errata.

16 *Ración.* La edic. de 1646: *ranción. Vid.* l. 1.

pesadumbre. Mandó que se me diera al instante, y un paje, por lisonjearme, no conociendo mi calidad y buen despacho, me trajo la bebida en una taza tan cristalina como penada. Yo le dije:

—Señor mío, eso es añadir penas a penas; salir yo de las penas de la prisión, y darme a beber en taza penada, es querer dar conmigo en la sepoltura; vuesa merced me traiga una taza de descanso, y seremos buenos amigos.

Díjome que no había taza tan grande como a él le parecía que yo había menester; a lo cual respondí:

—Tráigaseme un caldero de hacer colada, que cuando no venga lleno, suelo tiene.

El Duque, disimulando la risa, le mandó que me trajese una fuente que tenía, de vidrio, y un frasco grande de vino, y me lo fuesen echando hasta tanto que aplacase la sed. Hízolo así el paje, y yo hocicando en un artesón que tenía, adonde se despeñaban media docena de caños del artificio, a pocas tiradas dejé la fuente agotada y agotado el frasco. Díjome el Duque:

—Con esa píctima, aliento tendrá agora para tratar de su ración.

Respondíle:

—Excelentísimo señor, *de dinare in rota quanto volite:* yo no tengo plaza de soldado ni calle de vi-

---

4 y 7 *Penada:* la vasija muy estrecha de boca, en la cual solamente podía beberse muy poco a poco.

23 *Píctima = epítima:* tópico o apósito, medicina confortativa.

26 *De dinare in rota quanto volite:* así la edic. de 1655. La

vandero, porque soy caballero aventurero, teniendo más de Galaor que de Esplandián. Mi nombre es Estebanillo González entre los españoles, Monsieur de la Alegreza entre la nación francesa. Mi 5 oficio es el de buscón, y mi arte el de la bufa, por cuyas preeminencias y prerrogativas soy libre como novillo de concejo. Si cada soldado de los que se hallaron a hacerme prisionero quiere una gracia por lo que le puede tocar, y Vuesa Excelen- 10 cia cuatro gestos por lo que le pertenece, júntense todos; que luego de contante serán satisfechos y pagados; y donde no, su daño hacen, y mi provecho; porque habiendo descubierto quién soy, no me puede faltar de derecho esta casa, por ser la 15 más principal, y en pocos días que entre en ella se encarecerá el vino, y en pocos meses se morirán todos de sed.

Holgóse el Duque de oírme; riéronse sus cama-

---

de 1646 y las modernas: *De dinare* (o *dignare*) *in fora, &*. Al parecer, Estebanillo, en su jerga hispano-itálico-francesa, contesta humorísticamente al Duque, que le propone tratar de su *rançon* (traducido en fisga por el bufón por *ración* de comida), que él se halla muy dispuesto a comer en *rueda (rota*, ant. ital. = *ruota)*.

Pero no ocultaremos que en otro lugar (pág. 114, t. II) *dinare* se toma por *denari* = dineros.

2 *Más de Galaor que de Esplandián*. De Don Galaor, hermano de Amadís de Gaula, sabemos, nada menos que con la autoridad de maese Nicolás el barbero, que «tenía muy acomodada condición para todo; que no era caballero melindroso, ni tan llorón como su hermano, y que en lo de la valentía no le iba en zaga». (Cervantes, *Quijote*, I, 1.)

En cuanto a Esplandián, su historia: *Las sergas del muy virtuoso caballero Esplandián, hijo de Amadis de Gaula*, Sevilla, 1510, fué publicada por Garci-Gutiérrez [en realidad Ordóñez] de Montalvo. Vid. Gallardo, *Ensayo*, I, col. 369.

radas, y mandóme dar un plato de la mesa. Me brindaron tan a menudo, que a no ser tan buen piloto, les pudiera decir:

A espacio, penas, a espacio.

Alzaron la tabla, y llamándome el Duque, me dijo que por postre de mesa me daba libertad, y por principio de conociencia dos doblas, para hacer venta en el camino. Agradecíle la merced, y recibiendo las dos doblas, me despedí de él y sus camaradas, suplicándole encarecidamente que por ninguna razón diera libertad a mi rocín, por los mochazos que recibí por su causa. Y saliéndome de la villa, tomé el camino de Namur, adonde llegué con harto temor, por irme recelando en todo el viaje dar en las leyes de partida, ya que en la pasada renuncié las de la entrega, prueba y paga.

Fuí a visitar a Bernabé Vizconte, capitán de caballos, y contándole mi prisión y la causa de mi libertad, y dándome en poco rato a conocer, le agradaron tanto mis burlerías, que después de haberme reparado la esterilidad del camino y añadir otra dobla a las dos que yo traía, me metió en su coche, adonde, encochinados los dos, me llevó a ver

4 *A espacio, &:* así en la edic. de 1646. La de 1655, *Espacio, &.*
5 *Tabla: Vid.* pág. 101, t. I.
7 *Conociencia: Vid.* pág. 156, t. I.
12 *Mochazos:* golpes dados con el mocho de la escopeta, u otra arma semejante.
17 *Bernabé Vizconte,* o sea Visconti, distinto, al parecer, del *Marqués Visconti,* mencionado poco antes (página 24, t. II).

el conde Otavio Piccolómini, general de la armada imperial, que en aquella sazón estaba en aquella villa; el cual, habiéndose informado del capitán las partes y méritos que en mí concurrían, se holgó de
5 tener un rato con quien poderse entretener, que no siempre estuvo César venciendo batallas, ni Pompeyo conquistando reinos, ni Belisario sujetando provincias, que hay tiempos de pelear y tiempos de divertirse. Y por ser hora de cortar capas y de
10 echar bendiciones, le pusieron la mesa perteneciente a tal señor y necesaria a tan gran soldado.

Mandóme dar silla de la suerte que anda el mundo, y honróme con que fuera su convidado. Púsome un criado la silla al revés, cosa que hasta en-
15 tonces ignoré; y al tiempo que la quise volver me dijo que no tratase dello, porque él me daba aquello que me pertenecía. Y como no iba yo a tratar de vanidades de asientos, sino de henchir la talega, corrí más de treinta postas camino de Brin-
20 dis, con estar mal ensillado.

---

3 *Habiéndose informado, &c.* Pasaje viciado en las ediciones de 1646 y 1655 y en las modernas.

12 *De la suerte que anda el mundo.* Efectivamente, era aquélla una de las épocas en que con mayor justicia ha podido afirmarse que el mundo andaba al revés.

19-20 *Camino de Brindis.* El bufón recuerda, sin duda, el burlesco proverbio italiano: *navigare verso Brindisi (vide* Redi, *Bacco in Toscana)*, cuya traducción literal *(navegar hacia Brindis)* resulta también equívoca en nuestra lengua, por aplicarse el mismo nombre al acto de brindar y a la conocida ciudad de Italia. Así, Góngora, en un graciosísimo soneto, de que hemos tratado recientemente (*Comentarios a dos sonetos de Góngora*, revista *Humanidades*, La Plata, 1928, págs. 93-102), en el cual tilda a Quevedo de aficionado al vino: «su báculo timón del más zorrero | ba-

Dió fin lo que empezó en comida y acabó en banquete, y usando los camaradas diez de comida hecha, compañía deshecha, quedamos solos yo y Su Excelencia y el capitán que me había conducido a que sacase la tripa de mal año. Desafiáronme a jugar a la primera, y sacando en lugar de tantos cada uno un puñado de doblas, las hicieron de resto; y yo, valiéndome de la libertad del nuevo oficio, lo hice de sopapos. Contáronme tantos, y empezamos a jugar un sopapo de vale, y treinta de resto, y de precio cada dobla de treinta tantos. Hallé que en ley de cristiano no podía jugar aquel juego, por ser como escritura prohibida el ir yo a la ganancia, y ellos a la pérdida; pues si me decía bien, ganaba doblas, y si perdía, perdía sopapos, que en tiempo de necesidad recibiría veinte al maravedí; y si los dos me ganaban, quedaban dolientes de dedos y lastimados de bolsas; pero sin reparar en escrúpulos de cargos de conciencia, por ser cosa que no se usa, jugué sin miedo, como quien tenía resto abierto y bastantes carrillos para pagar cualquier cantidad.

Gané a Su Excelencia seis doblas, que por usar siempre de su conocida generosidad, presumo que se dejó perder. Ganóme el Capitán treinta tantos, y dióselos de barato a los pajes, los cuales me hicieron hinchar, como hombre humilde que se ve

---

jel, que desde el faro de Mesina | a Brindis, sin hacer agua navega». (Soneto «Cierto poeta en forma peregrina».)

21 *Para pagar:* así la edic. de 1646. La de 1655 suprime *pagar*.

en altura, y ponerme cariampollado y de figura de Bóreas, y dejándome hechos los carrillos salseretas de color granadino, ellos quedaron alegres, y yo satisfecho. Preguntéle al criado que me puso la silla que si había pasado hora por ella, o por qué razón me la ponía a mí diferente que a los demás que habían comido con Su Excelencia. Respondióme:

—A los que convida mi amo y son gentileshombres, se les da silla a la haz; pero a los que ellos se convidan o son gentileshombres de la bufa, se les da al revés.

Yo le respondí:

—Si siempre me ha de regalar Su Excelencia como ha hecho hoy, mas que me ponga vuesa merced albarda; y considerando que ya pasaba plaza de caballero alegre y muestra de gentilhombre entretenido, dije entre mí:

—Mi gusto es mi honra, y ande yo caliente y ríase la gente; pues poco importa que mi padre se llame hogaza si yo me muero de hambre.

Fuése aquella tarde Su Excelencia corriendo la posta a la corte de Bruselas, mar donde acuden

2-3 *Salseretas*. Llamábanse así, lo mismo ciertas tazas, pequeñas y de borde bajo, que se usaban para mezclar ingredientes, licores y colores, que unos vasillos de boj, o canutos de caña, que servían para arrojar los dados en el juego. Estebanillo emplea la primera acepción. El *color granadino*, rojo, como lo es el barro de aquella hermosa tierra, usado por las mujeres para darse «su poquito de salud»: «E sobre eso asientan en los carrillos [las mujeres] la color de las salseretas de Granada.» (Gonzalo Fernández de Oviedo, *Las Quincuagenas*, Madrid, 1880, 236.) *Vide* Franciosini, *Vocab.*; Acad. *Dicc.*

todos los ríos del poder y valor, y patria común de los extranjeros. Quedéme helado cuando supe su partida, por haberme dejado, habiendo sido su camarada de mesa, y de puro sentimiento estuve a pique de renunciar el tal oficio y de volverme a mis platos y escudillas. Fuíme a dar cuenta dello al Marqués Matey, que estaba en aquella villa por coronel de infantería alemana, el cual me animó a que prosiguiese adelante con mis caravanas, y que no temiese el año del noviciado; y porque echó de ver que sentía el haberse ausentado Su Excelencia, me dió dineros para que le siguiese por la posta. Púseme en camino, dando a entender a los postillones (porque veía que se reían de mí, viéndome tan pobre de vestido) que era un caballero mayorazgo que me había escapado de la prisión de Mastrique.

Entré en Bruselas desempedrando calles, pareciendo yo postillón desbalijado y el postillón correo sin asistencia. Y después de haberme apeado y curádome, como penitente de sangre, mis desolla-

21 *Penitente de sangre.* Pinheiro da Veiga (*Fastiginia*, trad. de D. Narciso Alonso Cortés, 11), describiendo una procesión de Semana Santa en Valladolid, 1605, dice: «Unos se llaman *hermanos de luz*, porque están obligados a acompañar con luz, que es un hachón de cuatro pabilos; otros, *hermanos de sangre*, que están obligados a disciplinarse.» Parece que estos últimos buscaban a veces substitutos pagados, y así entendían cumplir su promesa. Véase también una erudita nota del Sr. Hazañas en *Los rufianes de Cervantes*, 190.

Lo extraño del caso es que este uso y costumbre de los penitentes y disciplinantes, que hoy nos parece tan típicamente español, procedía —ni más ni menos que la mantilla— de Italia. Véase lo que dice acerca de ello, hacia

das asentaderas, me fuí en busca del palacio de Su Excelencia, pues sin duda pronosticaba el bien y merced que me había de hacer y el que de presente me hace; pues con tanto extremo me había
5 inclinado a su servicio, y con tal agonía le venía buscando. Preguntéle a un cortesano que si conocía al Conde Otavio Piccolómini de Aragón y si sabía a qué parte estaba su palacio, el cual respondió:

10 —Muy poco debe vuesa merced de saber quién es ese señor, pues me pregunta a mí si lo conozco, no habiendo hoy en todo el orbe persona más conocida por su valor, por su fama y por su ilustre nacimiento; pues después de haber sido honor y
15 gloria de Italia, y Alcides del Sacro Imperio, ha sido el Mesías destos Estados; pues siempre que nos hemos visto oprimidos y molestados de ejércitos enemigos y habemos implorado su santo advenimiento, nos ha sacado del caos de aflicción en
20 que nos hallábamos; pues en virtud de los socorros que nos ha conducido, el gobierno que ha tenido y la lealtad que ha mostrado, hoy se hallan los victoriosos y enemigos campos vencidos, y nuestros derrotados ejércitos vencedores; pues después de
25 haber sido con el suyo causa principal de que deja-

1564, Gonzalo Fernández de Oviedo (*Las Quincuagenas*, Madrid, 1880, 100), así como nuestro trabajo *Comentarios, &*, ya mencionado en la pág. 32.

8 *A qué parte*, por «hacia qué parte».

20 *Hallábamos*, en la edic. de 1646. *Hallamos*, en la de 1655.

sen a Lovaina libre, y a los Estados pacíficos y triunfantes, ha sido el primer motivo y causa de haber ganado la Capela, rendido a Xateleto y conquistado a Corbí; habiendo convertido los cristales del caudaloso Soma en mar de sangre enemiga, 5 y sus plateadas márgenes en promontorios de fogosas piras y en lilibeos de funestos despojos. Pero ¿quién podía dar a la casa de Austria tantas victorias, a Flandes tantos laureles, y añadir tantos timbres a sus armas, sino un señor de tan gran- 10 diosa calidad y tan antigua casa, originada de los

---

1 *Lovaina, &.* Los franceses se retiraron del asedio de Lovaina al llegar Piccolómini a Flandes, a primeros de julio de 1635. (*Varias relaciones*, 99.) La toma de la Chapelle y de Chatelet, la batalla del Soma y la toma de Corbie tuvieron lugar durante la campaña de 1636. (Vincart, 5.) Así, pues, hemos de señalar hacia fines de 1636 y comienzos de 1637, durante la invernada, el conocimiento de Estebanillo con Piccolómini y la escena que aquí se relata.

7 *Lilibeos.* Un monte de Sicilia, cerca de Marsala, está tomado aquí, por antonomasia, como «lugar elevado, montaña o promontorio» de despojos.

Vid. Pedro Espinosa, *El perro y la calentura:* «No sufro sábana, cuanto más a lilibeo»; Lope, *Laurel de Apolo*, en *B. A. E.*, XXXVIII, 190: «Mas discurrió desde Sicilia en vano | el Peloro, Pachino y Lilibeo, | donde gimen Encélado y Tifeo.» Véase también en un romance de los *Romancerillos de Pisa*, publicados por el Sr. Foulché-Delbosc en la *Rev. Hisp.*, año 1925, pág. 20 de la tirada aparte: «En el alto Lilibeo, | llamado agora Marsala.»

11 *Originada, &.* *Vid.* págs. 74-75, t. II: «estado que fué de sus ilustres progenitores»; Id.: «su gloriosa estirpe de Aragón».

He aquí lo que hay de verdad acerca de esto:

Durante el Pontificado (1458-1464) de Pío II (Eneas Silvio Piccolómini), uno de los hijos de su hermana Laudamia, Antonio Piccolómini, fué a Nápoles, donde militó en favor de los aragoneses, y casó en 1458 con la bella María d'Aragona (m. 1460), hija natural del rey Fernando I de Nápoles. Allí fué creado duque de Amalfi (1461) y conde

excelentísimos duques de Amalfi, de cuyo esclarecido tronco han florecido sumos pontífices, títulos y señores que han dado asunto con su valor y grandeza a las historias y han inmortalizado sus
5 famas, adornando el un cuartel de su escudo las barras de Aragón, por descendiente de su casa real, tan venerada en el orbe por sus poderosos reyes, por sus invencibles conquistas y por sus aplaudidas vitorias?

10 Tenía talle mi entendido cortesano de no cesar en un año (y pienso que tenía bastante materia para ello) a no llamarlo unos amigos suyos, por lo cual le fué fuerza quebrar el hilo de tan verdadera relación y discurso tan notorio. Despidióse de mí,
15 y dándome noticia de la calle donde vivía Su Excelencia, se fué por una parte, y yo me escurrí por otra. Quedé alegre por la buena información, y triste advirtiendo que un señor de tantas partes y de tan conocida nobleza no se dignaría de recibir
20 en su servicio un pobre hongo, producido de polvo de la tierra, y más viéndome en traje tan destraído

---

de Celano (1484). Sus descendientes usaron desde entonces el apellido Piccolómini con el aditamento «de Aragón», aunque en realidad les correspondía llevar el del padre de Antonio, Nanni Todeschini.

Lo mismo ocurrió con los antepasados del duque Octavio, protector de nuestro bufón, que descendía de Costanza, hermana asimismo de Pío II, el marido de la cual, Bartolomé Pieri, había consentido también en que sus descendientes adoptasen el apellido Piccolómini.

Vid. Garollo, *Diz. biogr.*, y Croce, *Storie e leggende napoletane*, Bari, 1919, 253.

21 *Destraido* en las edics. de 1646, 1655 y 1844. *Destruido* en la de Michaud. *Distraído* en la de Madrid, Aguilar, 1928.

y en hábito tan roto; porque el día de hoy no tratan a cada uno más de conforme se trata. Pero considerando que el rey don Fernando de Aragón fué el príncipe más amigo de bufones que han conocido nuestras edades, y que Su Excelencia, por 5 decendiente de aquella real casa y por gozar de las bendiciones de aquel adagio que dice: "Bien haya quien a los suyos parece", me admitiría, por constarle que semejantes casas jamás están escasas de leones atados y de bufones sueltos; y que 10 fué una borracha la gentilidad en tener por deidades y dar adoración a la poesía, música y olor, y no dársela a la bufonería, siendo arte liberal de que tanto han gustado emperadores, reyes y monarcas, y que solamente es aborrecida de pelones 15 y miserables; y que tratando los romanos de desterrar todos los bufones, por ser gente vagabunda y inútiles a la república, no pudieron conseguir su intento, por alegar todo el Senado y los varones sabios y doctos ser provechosos para decir a sus 20 emperadores libremente los defetos que tenían y las quejas y sentimientos de sus vasallos, y para divertirlos en sus melancolías y tristezas. Animán-

---

3 *El rey don Fernando:* Este rey podría ser Fernando I de Nápoles, de la dinastía de Aragón, o quizá más bien Fernando I de Aragón, de quien consta que fué aficionado a bufones. Véase lo que decimos acerca de Mosén Borra en la pág. 161 de este tomo II, así como también en la página 37, l. 11.

12 *Olor:* así las edics. de 1646 y 1655. Las modernas: *amor*.

19 *Alegar:* así la edic. de 1646. La de 1655: *alegrar*.

dome estas consideraciones, alargué el paso y resucitó la esperanza.

Llegué al palacio deste nuevo Marte, y valiéndome de las excepciones y privilegios de mi pro-
5 fesión, sin licencia de porteros ni recados de pajes, me entré hasta su misma sala, adonde me recibió con rostro alegre, y con su acostumbrada afabilidad mandó que me refrescasen, para que apagase el calor del camino, y que de allí adelante
10 me asistiesen con todo lo necesario y me tratasen como a criado suyo. Agradecí el favor y honra que me hacía, y pomposo de haber salido con mi pretensión, senté el real, y tomé pacífica posesión del provechoso oficio. Mandóme hacer un vestido de
15 su librea, para que me sirviese de estimación con los señores, y de salvaguardia con los pajes y lacayos; y aunque lo sentí por saber que aunque su nombre empieza en libertad, es vestido de esclavitud y munición de galeotes, pues al menor tris hay
20 un topafuera, me fué fuerza el encajármelo, por no contradecirle en su gusto y por remediar mi desnudez.

En este tiempo hizo mi amo un viaje a Alemania, a reforzar el ejército imperial que estaba a
25 su cargo, en defensa y custodia destos Estados.

23-24 *Un viaje a Alemania.* Ugurgeri Azzolini (*Pompe sanesi*, tít. XXIX, págs. 206 a 215) señala efectivamente un viaje de Piccolómini, de Flandes a Alemania, a fines de 1636 y comienzos de 1637. Debo este dato al Dr. Jacometti, director de la Biblioteca Comunale de Siena, que tuvo la amabilidad de enviarme copia de un trozo del referido libro cuando, ya hace bastantes años, comenzaba a preparar esta edición.

Partió desta corte en caballos ordinarios, siendo yo uno de los primeros que le iban sirviendo de norte, y no de los postreros en llegarme a comer en su mesa, en silla baja, a uso de corte. Tomaba, por sólo tomar, cuanto me daban sus camaradas 5 y los títulos y señores de las villas y ciudades por donde íbamos pasando; yo, por no dar, aun no daba a ningún criado los buenos días.

Llegamos a Viena, adonde sin limpiarme las botas de las salpicaduras del camino, fuí a besar la 10 mano a la Cesárea Majestad de la Emperatriz María, la cual, con ser yo pequeño y no usarse en Alemania chapines, me hizo grande del Sacro Imperio; mandóme cubrir como a potentado. Yo, viéndome favorecido y en vísperas de privado, me 15 endiosé con tanta gravedad y vanagloria, que en lo hinchado y puesto en asas parecía botija de serenar. Llegó un paje por detrás de mí, y viéndome tan espetado y relleno, me metió por debajo del envés de la barriga un puntiagudo aguijón, que 20 podía servir de lengua a una torneada garrocha, y dar muerte con ella al más valiente novillo de Jarama. Disimulé el dolor, aunque era insufrible,

3 *Y no de los, &:* así en la edic. de 1646. La de 1655: *y de los.*

11-12 *La Emperatriz María,* hija de Felipe III de España, nacida el 18-VIII-1606, y casada hacia 1629-1630 con el entonces rey de Hungría (*vid.* pág. 251, t. I). La Emperatriz falleció el 13-V-1646. (*Vid.* pág. 253, t. II.) Hay dos retratos suyos en el Prado, uno de ellos de Velázquez (números 1.187 y 1.272).

12 *Usarse,* en la edic. de 1646. La de 1655: *usar.*

19 *Me metió.* Las edics. de 1646 y 1655 suprimen el *me,* probablemente por errata.

por no perder un punto de mi engollamiento; y al cabo de un rato me salí de la sala, por no poderlo sufrir; y encontrando al Mayodormo mayor, le dije:

5 —Señor, ¿cómo se permite que se atrevan los pajes a los príncipes extranjeros y de tanta calidad, que se cubren delante de Sus Majestades Cesáreas?

El cual, dejándome con la palabra en la boca 10 y volviéndome las espaldas, me respondió:

—Esos son los postres de los bufones.

Cuyas palabras me dejaron tan mortificado y sin espíritu, que en muchos días no me atreví a volver al Palacio.

15 Mi amo (que así me he atrevido a llamarlo, pues comía su pan y vestía su librea, y siempre lo ha sido, y lo es y lo será), con la mayor brevedad que pudo hizo su ejército, y dándole orden de marchar la vuelta de Flandes, fué prosiguiendo su viaje. 20 Y yo, por no volverme de vacío, me fuí a despedir de la Majestad Cesárea de la Emperatriz, la cual me mandó dar una taza grande de plata y cien escudos de oro.

Al punto que los recibí tomé la posta, y corrí 25 en ella hasta Praga, cabeza del reino de Bohemia. Fuí a visitar a don Baltasar de Marradas, que era

25 *Hasta Praga.* Efectivamente, Piccolómini había enviado por delante su ejército, cuya vanguardia estaba ya en Worms, en tanto que él se hallaba todavía en Praga con el Emperador. (*Cartas*, II, 148, carta del 7 de julio de 1637.)

26 *Don Baltasar de Marradas.* Sobre este ilustre es-

virrey de aquel reino; hallélo en la mesa, y celebrando mi buena venida, me dió de comer y beber, aun mucho más de lo que me bastaba. Salí a una sala de su antecámara, adonde estaba la tabla de la repostería, en la cual hallé una gran porcelana 5 llena de crema con mucha azúcar, y a su lado un plato cubierto de bizcochos. Hízome cosquillas lo dulce, y atreviéndome a embestirle, fiado en mis preeminencias, mojé un bizcocho en aquel piélago de ampos, y trasladándolo con sutileza de manos 10 a boca, me sirvió de impedimiento un criado del repostero, que juzgándolo a atrevimiento, o ignorando mi dignidad, me sacó aquel dulce maná de entre los labios, lastimándome todo el frontispicio de marfil. Yo, sintiendo el dolor y no reparando 15 en galas, le encajé la porcelana en la cabeza, dejándosela tan ajustada, que parecía montera redonda de sayal blanco o cofia de aldeana curiosa. Empezáronle a bajar tantas y tan espesas corrientes, que sirviéndole al rostro de albayalde, le apro- 20 vechó de enjalbegar el vestido. Tomó un cuchillo

---

pañol véase una nota de Gayangos, en las *Cartas*, VII, 426, en la cual se le supone muerto en 1634. Y, sin embargo, nuestro héroe le da por vivo, en este lugar, al relatar sucesos ocurridos algo antes del 7 de julio de 1637. (*Vid.* página 42, t. II.) Pero se trata de una mala interpretación que dió Gayangos a cierto pasaje de Duque de Estrada (*Comentarios*, 414), autor que merece ser consultado también a propósito de Marradas.

Quizá falleciese éste en seguida de verle Estebanillo, pues en carta del 28-VII-1637 (*Cartas*, II, 161) se avisa cómo el Emperador había nombrado al archiduque Leopoldo para el virreinato de Bohemia, que desempeñaba Marradas.

14 *Los labios*, en la edic. de 1646. La de 1655 suprime *los*.

que halló a mano, y se vino como rayo para mí. Yo, que sabía cuán irremediable es una jiferada picaresca, volvíle las espaldas, y medio rodando unas escaleras abajo, llegué a la cocina; y por ver que me venía siguiendo, puesta la mano en su celada (por temor de no quebrarla), tomé un asador con la mano derecha, y una tapa de hierro de una grande olla en la izquierda, y me planté de firme a firme con mi mosca en leche. Dió chillidos una fregona, a los cuales acudió el mayodormo, y hallándonos a los dos en postura tan ridícula, se puso en medio, y sin dar lugar al criado a que se quitase el nevado tocador, nos llevó a la mesa de su amo, con todas nuestras armas y pertrechos. Rióse mucho el Virrey del suceso y de ver la blancura de mi competidor; y después de mandar hacernos amigos, me dió una veintena de escudos, la cual recibí con mucha voluntad, y con muchísima me salí de su palacio, receloso del encremado alemán.

Marchamos a Wormes, ciudad de las principales del Palatinado y vecina del ameno y caudaloso Rin, adonde estaba hecho alto el ejército imperial, aguardando segunda orden para pasar a Flandes. Venía mi amo tan a la ligera, que no traía consigo ningún bagaje; por lo cual fué fuerza que los pocos criados que le veníamos acompañando le sirviésemos en lo tocante a su comida y regalo y en

---

2 *Jiferada: Vid.* pág. 118, t. I.
11 *Ridícula: Vid.* pág. 7, t. II.
20 *Wormes* es *Worms*, plaza de armas que se le había señalado a Piccolómini, el cual llegó a ella el 17-VII-1637. (Vincart, *Relación*, 11 y 19.)

otros oficios de la escalera arriba, supliendo la falta de los que venían atrás en guarda de su recámara. Encargáronme, por ver mi brío y despejo, la despensa de la comida, la cantina del vino y el pozo de la nieve, que fué lo mismo que meter una zorra en una viña cercada en tiempo de vendimia, o hacer a un lobo pastor de ovejas. Diéronme criados pertenecientes a tal amo, para que, entretenidos cerca de mi persona, observasen mis órdenes. Estimábanme todos los coroneles y capitanes del ejército como a nevero en verano y pescador en Cuaresma. Regalábanme como quien podía y mandaba, como quien tenía a quién; hacía mis sacas de vino y mis vendejas de nieve, y con la calidad del uno y la frialdad del otro gozaba mi bolsa de un templado temperamento.

Habíanme dado por cuartel, para que me aprovechase de alguna cosa, la casa de un judío rabí, de nación italiano, el cual, por decir que era mi paisano y que me conoció a mí y a mi padre en la ciudad de Roma, alargaba la contribución, y me hacía esperar, sin ser de su ley; pero viendo que no me aprovechaba el llevarlo por bien ni por mal, me di por desentendido, y confirmando de nuevo la amistad de la conociencia antigua, lo traje una tarde a mi despensa a que merendase en ella; y habiendo puesto la mesa con variedad de regalos y escaseza de tocino, hícele entrar en el pozo de la

4 *Cantina,* en la edic. de 1646. La de 1655: *cantidad.*
15 *Uno,* en la edic. de 1646. La de 1655: *vino.*
25 *Conociencia: Vid.* pág. 156, t. I.

nieve, en achaque de sacar dos frascos que estaban puestos a enfriar, el uno de vino, y el otro de agua de limones; y al tiempo que lo vi en lo hondo, buscando la parte adonde estaban, tiré de la escalera, y la subí arriba, dejándolo empozado como a otro Josef; y volviéndome a asomar a la puerta del pozo, le dije:

—Perro judío, primero te has de volver carámbano, que salgas a ver la luz del cielo, hasta que me pagues todo el tiempo de mi alojamiento conforme a los demás oficiales del ejército, y con el tresdoble a mí, por usar de presente tres oficios en servicio del general, y todos ellos de a dos bocas.

Empezó a gritar y a llorarme pobrezas; y diciéndole que poco importaban sus voces, porque no podían ser oídas, le cerré la puerta y lo dejé empozado en parte donde no se abochornaría. Otro día, por ser forzoso el sacar nieve para el servicio de mi amo, volví a abrir, y lo hallé tiritando de frío y casi helado. Volvíle a protestar ser la culpa suya, desahuciándolo de la salida hasta que yo estuviese satisfecho. Reducióse con esto a darme unas señas para que su mujer me diese todo aquello en que quedamos de concierto. En efeto, cobré mi boleta, y después saqué al pobre rabí, tan hambriento y helado, que en más de cuatro horas que lo tuve al rincón del fuego, dándole caldos y regalándolo, no le pude volver a su primer ser.

22 *Reducióse: Vid.* pág. 167, t. I.
27 *Caldos.* La edic. de 1655: *caldas*, y lo mismo la de 1646.

Otro día de mañana marchamos la vuelta del país de Henao, y al cabo de algunos días llegamos a hacer plaza de armas cerca de las murallas de Mons, donde el Conde de Buquoy, gobernador de aquel país, señor de los calificados de Flandes, salió a recibir a mi amo; y llevándolo a su Palacio, acudiendo al ser quien es y a su conocida liberalidad y largueza, le hospedó y banqueteó, excediendo sus costosos regalos a los de la boda del Rey Baltasar, y los néctares de sus odoríferos licores a la bebida que dió la célebre Cleopatra al invencible Marco Antonio. Fueron estos banquetes para mí unos juicios finales, porque privándome de lo poco que yo tenía, daban cada instante con mi edificio en tierra.

Di en visitar los vivanderos del ejército muy a menudo y en quererlos meter en contribución, estando en país libre; por lo cual, y por excesivos gastos que les hacía y no pagaba, tenía cada instante con ellos mil peleonas y les echaba cada día mil roncas. Pero al cabo me venían a derribar y vencer con dos docenas de estocadas vinosas, respetándome por criado de quien era.

2 *Henao*. Castellanización, frecuente entonces, de *Hainaut*, nombre de una comarca de Bélgica.

3 *Plaza de armas, &*. Ello ocurrió el 2 de agosto de 1637, según Vincart. (*Relación, &*, pág. 27.)

4 *El conde de Buquoy*, general de la caballería alemana, mencionado en las *Cartas*, VII, 490. Un antecesor suyo, Carlos de Longueval, general del Emperador, había muerto, en servicio de éste, en 1621. (Duque de Estrada, *Comentarios*, 198.)

21 *Ronca:* amenaza jactanciosa. (*Dicc. Acad.*) *Vid.* página 185, t. II.

Sucedióme un día un cuento harto donoso, y fué que, saliendo de comer de la villa, tan por extremo cargada la cabeza que los niños me parecían hombres y los hombres gigantes, lo blanco azul y lo
5 verde leonado, llegué dando traspiés a una grasería, que estaba toda cubierta y adornada de manojos y hileras de velas de sebo; y pareciéndome los manojos que lo eran de rábanos, le pregunté al dueño que por qué causa les había quitado las
10 hojas. El cual, por no entenderme y conocer de la suerte que iba, dejó de responderme, y se puso muy de espacio a reír. Yo, que imagino que a la preñez de mi borrachera le había dado antojo de comer rábanos, alargué la mano a una de las hi-
15 leras, que estaba pendiente de un palo largo, y agarrando dos velas y tirando con fuerza para darme un verde de lo que apetecía, di con todo el argadijo en tierra. Viendo el amo toda su mercancía hecha pedazos, antes de dejármela probar
20 tomó el palo, y descargólo sobre mí con tal furia, que si el vino me había hecho ver estrellas a medio día, él me hizo ver luceros a las dos de la tarde. Sentía, aunque borracho, de tal suerte el dolor y agravio, que metiendo mano a la espada, cerré con
25 él como con tropa de enemigos. Viéndome tan fuera de mí y que sin miedo ninguno me iba acercando a él sin bastarle la defensa del palo, se metió en

---

18 *Argadijo* se llaman las devanaderas, con las cuales compara burlescamente los manojos de velas.
24 *Metiendo mano*, en la edic. de 1646. La de 1655: *metiendo la mano*.

un aposento cercano a la tienda y cerró tras sí la puerta. Yo, viendo que por más estocadas que daba a la puerta no se me quitaba el escozor de la chimenea y de las costillas, cerré con la procesión de la Candelaria, y tirando tajos y reveses, desgajan- 5
do y desmenuzando escuadrones de sebo y pabilos, rendí a mis pies el número de mil velas o rábanos, dejando la tienda hecha una ruina de grosura. A este tiempo acertó a pasar por cerca de mi palestra una tropa de soldados de los nuestros, y vién- 10
dome jugar de montante y tan encendido en cólera, a persuasión de unos vecinos, me sacaron a la calle, diciendo a grandes voces:

—¿Palos a mí, por un par de rábanos, valiendo a liarte el manojo? 15

Lleváronme medio en peso adonde dormí la pendencia, dejando al pobre burgués sin dormir, de puro desvelado. Fué la queja a mi amo, con otras muchas que dieron los vivanderos de que yo les estafaba y destruía; por lo cual, indignado contra 20
mí, y porque viesen la igualdad de su justicia, me mandó prender y echar una grande y pesada cadena y que me pusiesen a buen recaudo. Los ejecutores infernales, no siendo lerdos ni perezosos a su mandato (por dar muestras de ministros pun- 25

---

5 *Candelaria:* la fiesta de la Purificación (2 de febrero). La edic. de 1655: *candeleria.*

15 *Liarte* (francés, *liard*), moneda de cobre, que equivalía al ochavo.

17 *Burgués.* La edic. de 1655: *Lurges.* La de 1646: *burges.*

tuales), me amarraron a un duro banco, y no de galera turquesca: allí purgué la batalla de los rábanos, allí pené los pecados cometidos contra los prójimos vivanderos, ayuné sin ser témporas ni 5 vigilias, y hice dieta sin haberme metido en cura. Enternecida de este rigor la señora Condesa de Buquoy, sorda a las quejas de tantos demandantes, le pidió a mi amo que trocase el peso de su justicia en la balanza de su misericordia; el cual, viendo 10 la deidad que me amparaba y el ángel que me defendía, mandó que me deseslabonasen, y que me diesen cumplida libertad. Salí de aquel penitente yermo, con propósito de no disgustar más a mi amo ni obligarle a que me volviese a poner en se- 15 mejante apretura, dejando de allí adelante de visitar los conocidos vivanderos, que fué el mayor castigo que se me pudiera dar. Pasé aquella campaña tan quieto y sosegado, que más parecía pretendiente de ermitaño que hombre de bureo.

20 Llegó el tiempo de retirarnos, y por gozar de mis anchuras y no andar compungido y recatado, me fuí a desenfadar al bosque de Bodu, tres leguas de

---

1-2 *Me amarraron, &. Vid.* asimismo pág. 192, t. II. Alusión al conocidísimo romance de Góngora: «Amarrado al duro banco.» (*B. A. E.*, X, 141.)

11 *Deseslabonasen.* La edic. de 1655: *desenlabonasen*, y lo mismo la de 1646.

20 *El tiempo de retirarnos.* Se ha aludido ya (pág. 47) a sucesos ocurridos el 2 de agosto de 1637. Ahora se relata el fin de la campaña de ese año, al tomar el ejército cuarteles de invierno. El Infante-Cardenal entró en Bruselas, terminada la campaña, el 11 de noviembre. (Vincart, *Relación*, &, 76.)

22 *Bodu.* Habíamos conjeturado si se trataría de Bous-

Mons, a acompañar al Príncipe Tomás, que andaba en seguimiento de un ciervo. Estuve allí muchos días, hecho devanaderas de su distrito y sabueso de su espesura. Cansado de buscar en campaña lo que abunda en poblado, le persuadí a Su Alteza que dejase aquel enfadoso ejercicio, y que le bastase por escarmiento haber andado tantos ratos tras de un animal cornucopia, sin poderle dar un alcance; porque si aquel molimiento y cansancio era divertimiento de príncipes como Su Alteza, no era vida de caballeros alegres como yo, porque más quería irme a ser raposa de una pequeña despensa que quedarme a ser lobo de un dilatado bosque. Respondióme que me guardaría bien de dejarlo, porque lo pagaría con las setenas.

Este mandato me acrecentó el deseo de apartarme de ser seguidor de perros y saltador de

---

su, cerca de Mons, donde hay un castillo (Baedeker, *Belgique et Hollande*, 184); pero Gossart (*Les espagnols en Flandre*, 270) aclara que se alude al bosque de Baudour.

1 *El Príncipe Tomás*, a cuya derrota en Namur, en 1635, se ha aludido poco antes (pág. 17, t. II), es Tomás Francisco de Saboya (1596-1656), último hijo del duque Carlos Manuel I y de la infanta Catalina, hija de Felipe II, y hermano del Príncipe Emmanuel Filiberto. (*Vid.* página 78, t. I.) Fué cabeza de la rama de Saboya-Carignan, que es la que actualmente reina en Italia. Casó en 1625 con María de Borbón, condesa heredera de Soissons. Figuró, ¿desde 1635?, al frente de las tropas españolas en Flandes, donde estaba todavía hacia octubre de 1638; pero marchó a Italia hacia febrero de 1639 y allí, cambiando de política, peleó con los franceses contra los españoles (véase Rodríguez Villa, *La corte y monarquía, &*, 181 y 259; *Libros raros y curiosos*, XIV, 204; Garollo, *Diz. biogr.; Cartas*, II. 500 y III, 90 y 189; Francisco Predari, *Storia della dinastia di Savoia*, págs. 78-80).

matas. Y poniéndome en el camino de Mons, sin reparar en la nueva orden, me fuí a visitar mis antiguas parroquias y a verme libre de todo dominio. Estúveme holgando en ellas hasta que supe
5 que Su Alteza había conseguido el fin de su caza, por haber muerto un disforme y temerario ciervo; por cuya razón le volví a buscar, para irle acompañando hasta la corte de Bruselas, adonde estaba mi amo. Preguntóme que cómo me había ido
10 sin su licencia y no obedecido lo que me había mandado. Respondíle que me había perdido en el bosque como el Marqués de Mantua, y por no encontrar con algún Infante Baldovinos, me había retirado a descansar del trabajo pasado.
15 Parecióle muy frívola disculpa, y descubriendo mi flor y oyendo que todos los caballeros y señores que le acompañaban le pedían a voces mi merecido castigo, se apartó a una parte con ellos a consultar la gravedad del delito y a pronunciar la sen-
20 tencia que se me había de dar. Yo estaba con rostro de reo y con temblores de aterciandado, dando al diablo oficio con tantas zozobras y vida con tantos sobresaltos.

Salió de la junta y sala del crimen que en pena
25 de mi desobediencia se me pusiese un peto fuerte y un espaldar reforzado, y que me clavasen en la delantera del peto, como lanzas en ristre, los cuer-

---

12 *Mantua*. Recuérdese el famoso romance «De Mantua salió el Marqués», que don Quijote, maltrecho y aporreado, recitaba.

16 *Flor: Vid.* pág. 63, t. I.

nos del difunto ciervo, arbolados en forma piramidal, para que me sirviesen de toldo o pabellón, y en cada gancho de la dilatada cornamenta un cascabel de marca mayor; y que del pellejo se me hiciera una capellina de armas, que cubriendo la cabeza sirviese de loriga a lo restante de las partes desarmadas. Notificáronme el fallo, y como si fuera pasado por vista y revista, no se me concedió apelación; y haciendo venir de la villa un armador de rastrillos de dedos y un sastre de coser pieles, me armaron de punta en blanco y me vistieron de animal selvático. Subiéronme a caballo, y me mandaron que corriese la posta hasta entrar en Bruselas, y dar una vuelta por todas sus calles y paseos, y después entrar en su Palacio Real.

Salí del bosque con insignias de marido consintiente, sin que me faltase para el vergonzoso jeroglífico sino sólo un pregonero y una ristra de ajos, y como por calles acostumbradas, seguí el camino real, asombrando pasajeros y alborotando perros (porque pensando que fuese segundo Anteón, me seguían y perseguían), entré en Bruselas, donde al son de mis cascabeles y al estruendo de las herraduras de mi rocinante, se despoblaban las casas y se colmaban las calles. Absortábanse de

21-22 *Anteón*. Confusión, muy frecuente en aquel tiempo, entre los nombres de dos personajes mitológicos: Acteón y Anteón o Anteo.

24 *Rocinante*. Lo mismo aquí, que en las citas que figuran en las páginas 86 y 89 del presente tomo puede verse demostrada la admiración que sentía nuestro bufón por las obras del glorioso manco.

ver la diabólica armadura y ridículo traje. Y dándome más silbos que a un encierro de toros, me regalaban de cuando en cuando con algunos manzanazos.

Llegué al Real Palacio, y al punto que puse pie en tierra tuve orden de Su Alteza Serenísima el Infante Cardenal que subiese a verlo. Entré en la sala con muchísimo trabajo por el altura de mis ganchosos alcornoques y por el anchura espaciosa de mis aspas de cornicabra, adonde mirando Su Alteza mi espectáculo horrible y espantoso, estuvo tentado de dar un buen rato a sus lebreles; pero venciendo su piedad a su deseo mandó que me regalasen y que no se me hiciese ofensa ninguna. Yo estaba tan avergonzado de verme gentilhombre de Cervera y de traer astas arboladas sin ser corneta, que estuve mil veces tentado en el dicho camino, villas y villajes y en la entrada de Bruselas, de apearme y vengarme a puras cornadas, por el escarnio y burla que de mí hicieron. Dejélo de hacer porque no me dejarretasen o me echasen alanos a la oreja.

Después de haber refrescado y tomado algún aliento, volví a subir a caballo, y me fuí derecho a casa de mi amo, llevando de retaguardia un grande ejército de muchachos y una grande algazara de gritos y voces. Entré en su cuarto, y admirándose de que siendo yo soltero usurpase armas ajenas, anticipándome para lo venidero, se holgó in-

1 *Ridículo: Vid.* pág. 7, t. II.

finito de lo sucedido, por haber dejado de ser cortesano, por andar al reclamo de ciervos y venados. Y por parecerle mi traje tan extravagante y ridículo, que no siendo de sátiro ni fauno, era trasunto del mismo Barrabás, mandó llamar a un pin- 5 tor, al cual le hizo que me tratase al vivo; con cuyo favor, por hallarme merecedor de pinceles, prometiéndome de que a otra caza se me levantarían estatuas, olvidé las afrentas pasadas, y traté (quitándome aquel endemoniado traje) de gozar de las 10 presentes.

En esta ocasión convidaron a mi amo a un bautismo, dos leguas de Rupelmunda, en un castillo llamado Basel, y dejando de acompañarle, me quedé en Bruselas en cierto divertimiento, y al se- 15 gundo día tomé la posta, codicioso de gozar de la colación y percances extraordinarios. Hallé a mi amo tan airado contra mí, que en castigo de mi tardanza mandó que me diesen de beber otro tanto vino como se había gastado en la colación y ban- 20 quete de la noche pasada y que me apremiasen a que diese fin dello. No apelé desta nueva y nunca oída sentencia, antes supliqué por la brevedad de la ejecución, atento a la sequedad del camino, aunque hallaba imposible el cumplimiento sin echar 25 ensanchas a mi pellejo quitándole todas las bota-

13 *Rupelmunda* es *Rupelmonde*, villa de Bélgica, sobre el Escalda, enfrente de la desembocadura del Rupel. En otro tiempo hubo allí un fuerte castillo, que servía de prisión de estado, y que es el mismo a que se refiere nuestro protagonista algo más adelante (pág. 57, t. II).

nas. Mas el Gran Bailliu, que estaba acompañando a mi amo, por librarme deste tormento, que para mí venía a ser regalo, le dijo:

—Excelentísimo Señor, yo estoy informado que 5 Estebanillo es inquieto y que anda desasosegado; y para que pierda los bríos, ande pacífico, y acuda, sin hacer faltas, al servicio, me parece que será

---

1 *El Gran Bailliu.* Del francés, *bailli.* Dábase este nombre, en el antiguo régimen, a ciertos funcionarios que administraban justicia civil y criminal. En España existieron funcionarios análogos, en Aragón, denominándoseles *bailes.* Ciertos dignatarios de la orden de San Juan se apellidaban *bailíos.* La jurisdicción de aquéllos se llamaba *bailía*, y la de éstos *bailiaje.*

Estebanillo pudo, pues, perfectamente traducir la palabra francesa por *bailío*, pero ya que no lo hizo, conservámosla tal como la escribió, aquí y en otros muchos lugares.

2 *Deste tormento, &.* Era muy frecuente dar estos bromazos crueles a los bufones. Léase en Cabrera, *Relaciones*, 257, el relato de uno que sufrió Alcocerico el truhán, hombre de placer de Felipe III. Véase también la *Miscelánea* de Zapata y recuérdese el ambiente del castillo de los Duques, evocado por Cervantes en su *Quijote.*

3 *Regalo.* A partir de esta palabra, falta en las ediciones modernas un largo pasaje (suprimido sin duda por consideraciones de decencia un tanto pacata) hasta donde dice: «Llleváronme delante...» (pág. 62). Para no dejar incompleto el sentido, se intercalan, en dichas ediciones, unas cuantas líneas, que dicen así: «lo persuadió a que me encerrase en una prisión, como lo ejecutó, volviéndose a Bruselas; y allí hubiese visto el fin de mis días, a no ser por la piedad del Príncipe-Cardenal, que me hizo sacar, librándome de los inauditos tormentos que me preparaban. Lleváronme delante, &.»

La supresión ha tenido lugar en tiempos bien recientes. Hemos comprobado la presencia del pecaminoso episodio en las ediciones de Madrid, 1720, 1725, 1778 y 1795; y, por supuesto, en las de 1646 y 1655. La primera en que lo hemos encontrado suprimido es la de Madrid, 1844. Es creíble que asimismo falte en la de Madrid, sin año, comienzos del siglo XIX (núm. 9 del t. I, pág. 36).

provechoso remedio el caparlo, para lo cual hay en esta villa un valiente maestro, que con mucha brevedad, y poco dolor, lo dejará como caballo del país, manso y nada coceador.

Respondióle mi amo que le parecía muy bueno el consejo, y que era muy importante para mi persona, porque podría ser guardadamas en casa de un príncipe, músico en una capilla real, o privado de un sultán.

Yo me reía de todo este discurso, y llevaba en chanza los puestos y oficios que me adjudicaban; pero advirtiendo que llegaron a mí media docena de mosqueteros y me llevaron preso y entregaron a la guardia, quedé tan mortal, que, a no cerrar los dientes, se me saliera el alma por la boca; y viendo que mi amo se volvió a Bruselas y me dejó triste y desamparado en poder de la gura, me acabé de desmayar, juzgándome vecino de Capadocia.

Vino a visitarme el Gran Bailliu; díjome que no tenía otro remedio mi prisión sino armarme de ánimo y de paciencia, y apercibirme para ir al castillo de Rupelmunda. Yo le supliqué, hincado de rodillas y hechos mis ojos dos fuentes de lágrimas, que tuviese lástima de mi juventud, y que no me privase de las prendas más necesarias a ella; que en llegando la vejez, entonces podría ejecutar en mí tan riguroso fallo; demás de que, desde ahora en adelante, yo le hacía donación y renunciación

7 *Guardadamas, &:* oficios, todos tres, propios de eunucos.

de mi libre y espontánea voluntad, sin premio ni fuerza, ni inducimiento alguno, porque no era justo ir contra lo que Dios mandó a nuestros primeros padres en materia de la multiplicación; y que
5 era ir contra las leyes de naturaleza, haciendo de una gallina un capón.

Volvió las espaldas (quizá porque no le viera reír) y subió a caballo, y con una compañía que había traído de aquel castillo, a estar de guardia
10 a mi amo, me llevó a Rupelmunda, como a prisionero de importancia, y me dejó muy bien cerrado, y en parte segura de toda fuga, diciéndome, por despedida, que otro día vendría el sastre de cortar bolsas, y me aligeraría de peso, y cumpliría lo que
15 mi amo dejaba ordenado.

No sé cómo encarecer de la suerte que quedé, pues fué tal que cubriéndome el rostro de un sudor frío, y el cuerpo de un mortal desmayo, pienso que lucharon la vida y la muerte por espacio de dos
20 horas, teniéndome privado de sentidos y enajenado de potencias; mas volviendo en mí al cabo de la lucha, y viendo la desdicha que había venido a la casa de los Muñatones, pues quedaba con mayorazgo que no le podía dar sucesor, y acordándome
25 de lo poco que había ganado en el moderno oficio, y lo mucho que perdía en haberlo usado, volví a renovar el llanto, y con el mismo sentimiento con que se despide el cuerpo de el alma, me empecé a

---

1 *Premio*, equivale a *apremio*.
9 *Aquel castillo: Vid.* pág. 55, t. II.
28 *Se despide el cuerpo del alma: Vid.* pág. 114, t. I.

despedir de la carne de mis carnes, y no hueso de mis huesos, diciendo:

—¡Ay dulces prendas por mí mal perdidas, nacidas y procreadas con este desdichado cuerpo, compañeras en todas mis aflicciones, causa y origen de mi mal logrado bozo, sabe el cielo lo que siento el dejaros, y la falta tan grande que me haréis en esta larga ausencia!

Con este triste sentimiento pasé toda la noche sollozando tan violenta despedida, y esperando por horas al maestro del chiste o sastre de coser alforjas. Venida la mañana, me asomé a una reja del castillo, a divertirme un poco, mirando la villa y su apacible y deleitosa campaña. Al cabo de un grande espacio, vi pasar, pegado a los muros de mi prisión, un gran concurso de señores, capitanes y gente particular, y en retaguardia de todos Su Alteza Serenísima el Príncipe-Cardenal y el Príncipe Tomás su primo, Gobernador de las armas, con cuya presencia se me volvió el alma al cuerpo, la sangre a las venas, el aliento al corazón, y dando voces como loco desde la ventana del homenaje, le dije a Su Alteza Real que tuviese piedad y compasión de mí, y que pudiese más su misericordia que no la justicia de mi amo.

---

3 *Ay dulces prendas, &.* Remembranza del soneto garcilasesco que tanto placía a don Quijote.

18-19 *El Príncipe Tomás: Vid.* pág. 51, t. II. Esta mención ha de fecharse antes de su salida para Italia, que tuvo lugar, como dijimos, entre octubre de 1638 y febrero de 1639.

19 *Gobernador de las armas* equivale a general en jefe. *Vid.* pág. 199, t. II.

Respondióme, con aquel semblante afable y vista halagüeña que siempre tuvo, que se vería mi justicia y se daría traslado a la parte, y que no se me haría agravio ninguno. Pero el Príncipe Tomás, 5 poniéndose el dedo sobre los labios, me amenazó a lo ginovés, con lo cual se aguó mi alegría, por cuyo efecto tuve una caliente y una fría, como banquete real.

Pasé todo aquel día con esperanzas y desespe- 10 raciones, con placeres y pesares, con gustos y disgustos. Llegó la noche, tan obscura y tenebrosa que parecía que anunciaba el angustia en que me había de ver. Entró el carcelero a mi aposento, y por más seguridad de mi prisión, me pasó a un ló- 15 brego y fuerte calabozo, adonde hallé otro prisionero, que esperaba aun peor susto del que yo había de pasar. Preguntéle la causa de su prisión, y respondióme que por unas niñerías que no importaban un puñado de alverjones, lo tenían de 20 aquella suerte; porque no se hallaba contra él otra cosa más de que campaba de *rapio rapis,* y de desporqueronar algunas almas cristianas, y que gustaría de saber por qué me habían traído a hacerle compañía. Díjele que por jugar al capadillo me 25 metían en caponera. Respondióme que me declarase más, porque no me entendía. A lo cual le repliqué:

—Si a eso va, ni yo tampoco he podido penetrar lo que vuesa merced me ha dicho.

30 No pudimos proseguir con la conversación, porque después de haber oído un gran ruido de lla-

ves, vimos entrar al carcelero con una cara de fullero perdidoso, el cual asiéndome de los cabezones con una gran furia, como si hubiera de heredar mis lamentados despojos, me sacó a una gran sala, fúnebre teatro de mi desventura, adonde hallé un cirujano con cauterios calientes, estopas frías, huevos serenados, y un alguacil colérico, que con mucha priesa le mandaba hiciese su oficio, ejecutando lo que Su Excelencia había mandado.

Asiéronme cuatro galafates de pan de munición, lagartos desde la cuna, y bajándome las bragas, me montaron sobre un potro, que no era de Córdoba, atáronme de pies y manos, y pusiéronme una ligadura de un listón en la parte de la división y apartamiento que intentaban hacer tan a mi costa. Tomó el cirujano la navaja y empezóla a enarbolar, y acercarse con ella hacia la parte de mi suplicio. Yo, después de haber dado voces que pudieran romper las vidrieras celestes, comencé a pedir confesión; a cuyos ecos tristes acudió un paje de Su Alteza Serenísima, diciendo en voz alegre:

—¡Gracia!, ¡gracia!

Pero yo estaba tan turbado y muerto, que apenas entendí la venturosa nueva. Quitáronme del pequeño cadalso, y volviendo algún tanto en mí, al tiempo de cubrir las desnudas colunas, quise ver si en aquel trinquete había habido alguna falta; pero hallándome sano y salvo, y libre de toda mal-

---

12 *Potro:* máquina de tortura.

rota y gavela, empecé, poco a poco, a tomar respiración.

Lleváronme delante de Su Alteza, el cual me dijo:

5 —¿Qué desdicha es esta, Estebanillo? O ¿qué pecados has cometido para haberte puesto en tal aprieto?

Yo le respondí:

—Señor, estos son caprichos de señores y pen-
10 sión de los de mi arte.

Díjome un ayuda de cámara:

—Hermano Esteban, el oficio del gracioso tiene del pan y del palo, de la miel y de la hiel, del gusto y susto, y es menester pasar cochura por hermo-
15 sura.

Pedí de beber para echar abajo toda la melancolía; a pocos lances y buenos me reventaban los ojos de alegría y la barriga de vino, y echaba de la oseta. Volvíme con Su Alteza a Bruselas, adonde,
20 sin ser doctor, le visitaba por la mañana en la cama, y a medio día en la mesa.

Al cabo de algunos días volvió mi amo segunda vez al Imperio, yéndole yo sirviendo en figura de

---

18-19 *Echar de la oseta.* Hablar recio, jurando y perjurando y diciendo con enfado cuanto se viene a la boca. (*Diccionario de la Academia.*)

Oseta. Cosa que pertenece a la rufianesca. (*Vocab. de germanía*, de Hidalgo; *apud* Mayans y Siscar, *Orígenes de la lengua española*, pág. 255.)

22 *Volvió mi amo por segunda vez al Imperio.* Estebanillo conoció a Piccolómini a comienzos de 1637 (pág. 37, t. II), e hizo un viaje con él a Viena a mediados del mismo año (pág. 40, t. II).

Piccolómini no había salido aún de Flandes, en este se-

correo, hasta llegar a la corte de Viena, la cual hallé llena de máscaras, fiestas y regocijos, por ser Carnestolendas y tierra donde se celebra más que en ninguna parte de la Europa. Y yo, por oir decir: "Dondequiera que fueres, haz como vieres", hice media docena de mascaradas los primeros días, con ayuda de amigos y conocidos, tan alegres y vistosas, que demás de ser celebradas, no perdí nada en la mercancía. Y viéndome cargado de alabanzas y premios, proseguí en dar gusto a los señores y regocijo a la corte.

Habiéndome hecho una cadena de dientes y muelas de caballos, que estaban como el camarada que tuve en Norlinguen, me vestí de montambanco, y me tercié el cabestrillo de raigones; puse en la mano derecha un gatillo de sacar muelas, y en la izquierda una cestilla llena de botecillos de ungüentos y emplastos encerados. Llevé conmigo cua-

---

gundo viaje, hacia enero de 1639. (*Cartas*, III, 173.) En marzo del mismo ya se decía que iba de vuelta hacia Flandes. (*Ibid.*, III, 187.)

2-3 *Por ser Carnestolendas.* En la pág. 67 se menciona la cuaresma inmediata, y en la 69 se relata la venida de Piccolómini a Flandes y el socorro de Thionville. Este tuvo lugar en mayo de 1639. Ello induce a creer que aquí se trata del carnaval de 1639, que comenzó el domingo 6 de marzo.

Pero, por otro lado, la mención de dos carnavales posteriores (págs. 81 y 91, t. II) suscita una grave dificultad cronológica.

Creemos que le flaqueaba la memoria al bufón al redactar estos pasajes.

14 *Norlinguen.* En este y en otros varios lugares, *Norlingue;* pero antes (pág. 251, t. I) se indica *Norlinguen*, que es como lo escribiremos en todos los casos.

14 *Montambanco: Vid.* pág. 181, t. I.

tro judíos italianos, con vestidos provocativos a
risa y con medias máscaras que cubrían de la na-
riz arriba, por causa de que no fuesen conocidos
del vulgo, y subiendo en un caballo, me fuí por to-
5 das las plazas y cantones de la corte, haciendo paradas y dando voces para juntar la gente; y para
encarecer mis medicamentos, llegaban los tres judíos, que estaban apartados de mí, cada uno por
su parte, rompiendo el corrillo y concurso de la
10 gente, y compraban de los botes y emplastos; y
pagándome por cada uno dos reales, a vista de
todo el auditorio, provocaban a muchos ignorantes
a que llegasen a lo mismo; llevando en los pequeños botes una poca de harina desleída con agua, y
15 en los emplastos un poco de cañamazo bañado con
sebo y cera. Llegaba después el cuarto hebreo, fingiendo tener gran dolor de muelas; traía las manos puestas en los carrillos, y quejándose muy a
menudo, juntábase a las crines de mi rocín, abría
20 una boca de un palmo; mirábale yo de espacio la
dentadura, como si él fuera caballo y yo albéitar
que pretendiese saber la edad que tenía, y aba-
tiendo el gatillo y fingiendo sacarle una muela, ponía en él otra que yo llevaba, pedida para el efeto
25 a un amigo barbero; y dando a entender habérsela
sacado sin dolor ni sangre, le hacía que escupiera
muchas veces, y alzando el brazo con el gatillo en-
molado, alababa mi destreza y convidaba a qui-
társelas a los pobres de gracia, obligándome a de-
30 jar todos los vecinos de aquella corte, por muy
poco precio, sin ningunos dientes ni muelas. Dá-

bame el judío un real, y volvíase a salir del corrincho, encareciendo mi agilidad y jurando no haberle dolido ni sacádole sangre, por lo cual llegaban algunos inocentes a querer hacer la prueba y remediar sus dolores; y yo engañándolos con visitarles las andanas y hacerles creer no estar la muela en estado de sacarla, les aplicaba uno de los emplastos y les quitaba el dinero y los enviaba muy consolados. Solemnizábanlo los que sabían que era burla, y divertíanse los que lo ignoraban; y apenas se deshacía un corrillo, cuando a poco trecho juntaba otro y hacía la misma manifatura, encajando la propia presa.

Vine a llegar cerca del Palacio Imperial, a tiempo que Sus Majestades Cesáreas estaban a unas ventanas, juntamente con el Príncipe Matías, hermano del Gran Duque de Toscana, viendo pasar mucha variedad de mascarados. Y por ver que ponían los ojos en los de mi cuadrilla, empecé a vocear y a juntar un numeroso auditorio; y después de haber hecho mi papel, como en las demás partes, y hecho su parte los tres cansinos, llegó el doliente del mal de Santa Polonia, y haciendo muy al

1-2 *Corrincho:* junta de gente ruin. La edic. de 1646, *corincho.*

16 *El príncipe Matías de Médicis* (1613-1667), hijo de Cosme II y hermano de Fernando II (gran duque desde 1621 a 1670). Militó con honor en Alemania (1629-1639), y aquí lo vemos en Viena hacia marzo de 1639. Después hemos de verle, ya en Florencia, hacia 1644 (*Vid.* pág. 171, t. II). Véase Garollo, *Diz. biogr.;* Duque de Estrada, *Comentarios,* 375 y 410; Cappelli, *Cronología,* 368.

23 *El mal de Santa Polonia.* No habrá ningún mediano lector del *Quijote* que no recuerde, para aclarar este pasa-

vivo su figura, abrió la puerta, que le sirvieron sus dientes de rastrillo para que no entrase el tocino, y sus labios de puente levadiza para impedir el paso al vino. Y como estaba asegurado de que 5 jamás le hacía daño ninguno, echó al aire toda la herramienta de mascar; agarréle con el gatillo una muela, que me pareció la más abultada de todas las demás, y por hacer reír a Sus Majestades a costa de llanto ajeno, tiré con tanta fuerza, que no 10 sólo se la saqué, pero muy grande parte de la quijada con ella. Empezó el judío a dar voces, y sus camaradas a emperrarse contra mí, Sus Majestades a reírse y el pueblo a recocijarse. Mas por ver que había algunos en el corro que se amotinaban 15 contra mí, enternecidos del arroyo de sangre que salía de la boca del desquijarado, dije en alta voz:

—Adviertan vuesas mercedes que el doliente es judío y sus camaradas hebreos, y que he hecho a posta lo que se ha visto, y no por ignorar mi 20 oficio.

Con estas razones volvió a renovar el alegría y a celebrar la acción, y a darles tal felpa a los cuatro zabulones, que a no valerles los pies, llevaran más que curar, aunque pienso que no llevaron muy 25 poco.

---

je, aquel otro de la obra cervantina (II, 7) en que el bachiller Sansón Carrasco aconseja al ama que, para impetrar la salud del Ingenioso Hidalgo, rece la oración de Santa Apolonia; siendo así —como le responde el ama— que Don Quijote no padece de las muelas, sino de los cascos.

CAPÍTULO OCTAVO

[1639-1640]

En que declara la vuelta que dió a los Estados de Flandes sirviendo de correo, y lo que le sucedió en el socorro y batalla que dió su amo en Tionvila, y de cómo fué recibido en el servicio de Su Alteza Serenísima el Infante-Cardenal, y otra mucha variedad de sucesos

Mi amo, que siempre andaba solícito y cuidadoso en el servicio de Su Majestad Católica, partió de Viena el primer día de Cuaresma a los Estados de Flandes, con nuevo socorro de lucido ejército; y yo me quedé en Viena a cobrar los gajes de haber alegrado a los alemanes y entristecido a los hebreos, y más los donativos competentes a mi oficio. Dióme Su Majestad Cesárea una cadena de oro, y otra el Archiduque Leopoldo, su hermano, y otra el

3 *La vuelta que dió.* La edic. de 1655 suprime *la vuelta;* pero esas palabras figuran en la de 1646.

10 *Cuaresma.* El miércoles de ceniza 9 de marzo de 1639, probablemente. *Vid.* pág. 63, t. II.

16 *El archiduque* Leopoldo Guillermo (6, I, 1614; 20, XI, 1662), hijo del emperador Fernando II y hermano de Fernando III. Ocupó primero varios obispados; pero luego, dejando la carrera eclesiástica por la militar, fué nombrado en este mismo año de 1639 general imperial, con Piccolómini a su lado como lugarteniente. Después de la de-

Príncipe Matías, sin otras dádivas de títulos y señores. Al tercer día de mi ocupación y recogimiento de preseas, me envió el Marqués de Castañeda (que estaba en aquella corte por embajador de España)
5 por correo a los Países Bajos con un despacho de Su Majestad Católica para su hermano el Serenísimo Infante Cardenal. Cuando me vi entronizado en tanta altura, olvidándome de todos mis oficios y beneficios, como no pude decir "de paje
10 vine a marqués", como don Alvaro de Luna, dije "de bufón vine a correo", que fué el primer escalón. Hice tan buena diligencia, que ensanché mi fama, y quedé opinado por persona de confianza. Holgóse mucho Su Alteza cuando me vió tan avan-
15 zado y supo con la brevedad y cuidado que había traído el despacho; por lo cual toda aquella campaña ejercité el nuevo oficio de andar al trote, volviendo otras dos veces a Alemania, a Lorena, a Lucemburque, a las fronteras de Francia y al ejér-
20 cito que traía mi amo para socorrer a Tionvila, lle-

rrota de Leipzig, en noviembre de 1642 (*vid.* pág. 139, t. II), se retiró a su obispado de Passau (*vid.* pág. 148, t. II). Volvió al ejército (1645-1646) y ocupó (1647-1656) el puesto de gobernador, por España, de los Países Bajos. Reunió entonces en Bruselas una rica galería de cuadros que está representada, incluyendo el retrato del Archiduque, por David Teniers, en un cuadro del Museo del Prado (núm. 1.813). A la muerte de Fernando III (1657) fué regente de los Estados austríacos. (Garollo, *Diz. biogr.*; y Morel-Fatio, *Recueil des instructions, &*, 2.)

3 *Marqués de Castañeda.* Don Sancho de Monroy, primer marqués de Castañeda, consejero de Estado, embajador en Francia y Alemania, fallecido el 23 de agosto de 1646. (Garma, *Theatro Universal*, IV, 93; *Cartas*, VII, 567.)

18-19 *Lucemburque* = Luxemburgo.

vando despachos, zangoloteando postillones y desorejando postas.

Quiso mi ventura que me hallé con mi amo al tiempo que, hecho otro segundo dios de las batallas, la venía a dar al ejército de Francia, que 5 nos tenía sitiada y oprimida la dicha villa. Supliquéle, en albricias de la vitoria, pues yo la tenía por cierta, por ir el Hércules de Florencia a socorrer la combatida Troya, que en acabando de despachar a la otra vida al ejército contrario, me 10 enviase a llevar las nuevas a Su Alteza.

Respondióme:

—Señor Estebanillo, vuesa merced es hombre muy diligente para correo, y muy cobarde para estas ocasiones; y así, supuesto que sé yo que no ha 15 de pelear y que ha de hacer lo mismo que hizo en Norlinguen, según me han contado, yo le concedo lo que me pide; y así, póngase en otra montañuela, y si viere que Dios fuere servido de darme vitoria, vaya a darle aviso a Su Alteza, que yo sé que ga- 20 nará más en ello que en buscar rendidos despojos.

Yo, estimando la merced y tomando su consejo, por no ponerme en contingencia de que pasase detrimento el viaje que esperaba hacer, me subí en una montaña, a dos leguas de ambos campos, a 25 tiempo que cerrando mi amo con el del enemigo, obrando prodigios de valor y portentos de biza-

---

1-2 *Desorejando postas. Vid.* pág. 134, t. I.

4-5 *Batallas, &.* El socorro de Thionville, a que aquí se alude, tuvo lugar en mayo de 1639. (Lafuente, *Historia de España*, XI, 278; *Varias relaciones*, 213 a 221; y *Cartas*, III, 277.)

rría, los deshizo, venció y arruinó, quedando la villa libre y la campaña por suya, hecha toda ella un cimenterio de finados.

Viendo, pues, que nuestro valeroso ejército (en 5 virtud de llevar tan heroico e invencible general) apellidaba la vitoria y avanzaba al desvalijo, bajé de mi relevado Olimpo a llevar la dichosa nueva a Su Alteza; mas encontrando en el camino a un vivandero de los nuestros, so color de apagar el 10 polvo que había cobrado en la batalla, fingiendo haberme hallado en la primera embestida, bebí de tal modo, celebrando el valor de mi amo y brindando a su salud, que dentro de un cuarto de hora me hallé con más gana de dormir que no de correr 15 postas. Pero animándome lo que más pude, por codicia de ganar las albricias, con estar aturdido y medio fuera de mí, con ayuda de un vivandero y de un amigo mío que le estaba acompañando, volví a subir a caballo; pero en ocasión tan desgraciada, 20 que tirando la villa un cañonazo (quizá por salva de la vitoria, pues vino acompañado de otros muchos), con pasar la bala más de una legua de mí, fué tanto el pavor y sobresalto que recibí, que pensando que me había hecho pedazos a mí y a mi 25 caballo, me dejé caer dél tan desatentadamente, que dando con todo el cuerpo una grande caída en tierra, me lastimé con la punta de un desgajado bastón una pierna, y me salieron della algunas gotas

7 *Relevado*, o sea *eminente*, según la edic. de 1646. La de 1655 y las modernas, *revelado*. *Vid.* asimismo págs. 88, t. I, y 182, t. II.

de sangre, las cuales, al instante que las llegué a ver y a sentir el dolor, tuve por cosa cierta que el cañonazo me la había hecho menudas astillas, y empecé a dar voces, que atronaba toda la campaña, diciendo: 5

—¡Jesús, que me han muerto! ¡Confesión, confesión!

A cuyas lamentables quejas acudió el vivandero y el conocido amigo, y informándose de la causa de ellas, les certifiqué haberme hecho pedazos la 10 pierna una bala de artillería de las que había tirado la villa. Ellos, que habían oído el estallido de los rigurosos bronces y veían los extremos dolorosos que yo hacía y una poca de sangre que campeaba en el nevado campo de la calceta, lo creyeron 15 de tal suerte, que llevándome en peso entre los dos, me metieron en el carro y me llevaron a la vitoriosa villa.

Buscáronme una buena posada, y porque vieron que iba necesitado de sueño, por lo mucho que 20 había bebido, me recostaron sobre una limpia cama, y dejándome sosegar, se salieron en busca de un cirujano para que me curase. Tardaron más de cuatro horas en volver a la posada, por haber hallado todos los cirujanos ocupados en curar al- 25 gunos heridos de los nuestros y de los muchos prisioneros que se habían hecho. En cuyo término desistí los vapores de la cabeza y quedé libre del dolor y borrachera. Y estando durmiendo despacio lo que había bebido de priesa, entraron en mi apo- 30 sento mis enfermeros y un venerable y barbado cirujano, con media docena de platicantes, que al olor de haberle dicho que tenía muy linda china y que era criado del vitorioso general, me venía a curar de ostentación. Al instante que llegaron, aligerando todos a un tiempo de capas y sombreros, empezaron a destripar estuches, y a limpiar sierras, y a afilar navajas, hacer hilas y a romper paños, haciendo capirotadas de huevos y cocimientos de vinos.

Al tiempo que estuvo todo apercibido mandó el tal maestro que me despertasen, para ver la cura que requería el destrozo de la bala. Y habiéndolo yo hecho (aunque no con mucha facilidad, porque estaba en lo mejor de mi sueño), me senté sobre la cama, y quedé medio escandalizado de ver tantos cuervos con herramientos de hacer anatomía. Díjome el maestro que descubriese la pierna para reconocer el golpe y aplicarle el remedio conveniente. Yo, sonriéndome, como quien ya tenía su juicio cabal, la eché con brevedad al aire, y haciendo el cirujano acercar una vela encendida y poniéndose apresuradamente unos cristalinos antojos, le dió una atenta miradura de alto a bajo y un sobado de dedos, que parecía que maduraba brevas. Pero hallándola toda sana y buena, sin tener otra lesión más que un pequeño rasguño, me dijo muy atufado y medio corrido:

—¿Vuesa merced acaso hace burla de mí, pues me envía a llamar para curarle sus heridas fingidas y fabulosas?

2 *China: Vid.* pág. 168, t. I.
21 *Antojos: Vid.* pág. 92, t. II.

Respondíle:

—Vuesa merced me ponga en el estado que estaba cuando lo envié a llamar, y echará de ver que cuando la herida no fuese verdadera, por lo menos me lo parecía; pero porque no se queje de mí ni diga que ha trabajado en balde, tome esta pieza de a ocho, para que no salga de aquí lo que ha sucedido; y haga cuenta que me ha echado media docena de estopadas.

Recibió el dinero, y riéndose él y la chusma de oficiales, nos desocuparon el aposento.

Fuí a visitar a mi amo, a quien di el parabién de la vitoria, y le conté la causa de no haber llevado la nueva de ella a Su Alteza Serenísima, y lo corrido que había quedado el cirujano cuando me había hallado aun sin señal de herida; lo cual fué añadir a una alegría otra alegría, y a un gusto otro gusto. Salí a recorrer la campaña para ver dónde había mi amo emprendido tan gran resolución, obrando tan grande hazaña, y ganado tan gran renombre; halléla toda cubierta de cadáveres sangrientos, que movían a piedad aun a los mismos homicidas. Vi una multitud de prisioneros, adonde, demás de estar en ellos la mayor parte de la nobleza de Francia, estaban sus más valientes y animosos soldados. Enseñáronme la gran copia de vencidas banderas, mostráronme la gran suma de sus rendidos estandartes, la grandeza de su artillería y la riqueza de sus despojos.

---

26 *Copia* por abundancia, a la latina.

A este tiempo mandó mi amo retirar las piezas y municiones a la villa (la cual, como a su libertador, le aclamaba y aplaudía, dándole, tras infinitos parabienes, infinidades de agradecimientos) y llevar todos los prisioneros a Bruselas. Y después de haber hecho hacimiento de gracias al Señor, cuya mano poderosa es la guía de todas las vitorias y prosperidades de este mundo, le dió aviso por entero a Su Alteza Serenísima, con cuya vitoriosa nueva se alegraron todos los Países, y tocando la trompa su invencible fama, se acobardaron los extraños, y se animaron las plumas, por tener tan valeroso asumpto los no apasionados coronistas. Y habiendo hecho enterrar todos los difuntos y curar los heridos, y refrescar su ejército, se entró a tomar algunas villas de Francia, molestando sus fronteras y poniendo horror a toda aquella provincia.

En cuyo tiempo, en premio de tantos y tan leales servicios, y en recompensa de tantos socorros y hazañas victoriosas, le envió Su Real Majestad la merced y título del ducado de Amalfi, estado que fué de sus ilustres progenitores y restauración de tan valeroso soldado. Hizo aquel día mercedes a todos sus criados, y demás de ser yo uno de los favorecidos, me prometió dar en el dicho estado con que pudiese descansar y vivir en marchitándose la flor de la juventud, y llegando a los umbrales de la vejez. Yo aceté la promesa, como aquel que no sabía el fin que vendría a tener, ni el estado

10 *Países:* los Países, o Estados, Bajos.
20-21 *La merced y título, &: Vid.* pág. 37, t. II.

en que me hallaría en aquella edad, y pues no hay plazo que no llegue, ni deuda que no se pague, y es refrán italiano el asegurar que *ogni promesa é debito*, tengo por cosa cierta y por caso asegurado, como quien tan bien conoce su generosidad, que si Dios me da vida, veré este plazo cumplido y esta deuda pagada. Y por aumentar el regocijo de tan alegre día y darle a mi amo muestras de agradecimiento, compuse un soneto en su alabanza, no conforme a su gran merecimiento, pero por lo menos harto trabajado, por declarar sus primeras letras su gloriosa estirpe de Aragón, por cuya atención y hazañas notorias se le había hecho la merced; y en las letras de en medio el nombre de su ducado, y en las últimas líneas los atributos tan debidos a su persona, y tan conocidos en la Europa: el cual, si no me he olvidado, decía de esta manera:

Guerrero insigne, Ilustre y Poderoso,
Laureado de Dafne por Prudente
Onor del orbe, Ulises Eminente,
Romano César, Que triunfó Animoso;
Iris de Flandes, Vencedor Famoso,
Alejandro sin par, Ector Valiente,
De cuya fama, Dulce y Refulgente,
Está el Imperio Eterno y Vitorioso.
Atlante en fuerza Aquiles Aplaudido,
Rayo en la guerra, Marte en ser Soldado,
Aníbal de Cartago, Amón Temido,
Gloria de Siena, Lauro Venerado,
Onor de Flandes, donde sois Querido,
Norte de Italia, donde sois Amado.

10 *Merecimiento* en las ediciones modernas; *conocimiento* en la de 1655.

Contentóle a mi amo la novedad de la curiosidad de la compostura; y aunque no creyó que los versos fuesen hijos de mi ingenio, se satisfizo de mi grande voluntad. Despachóme por la posta en
5 busca de Su Alteza Serenísima a llevar ciertos pliegos de importancia; y dando tres higas a Atalanta y cuatro a los irracionales partos del Betis, le hallé en Esteque; el cual, habiendo recibido los despachos, tuve, demás del premio, el tenerme
10 siempre en su gracia. Allí fuí bravamente favorecido de los señores del país, porque como yo les contaba todo el suceso de la batalla y como me veían en servicio de tan esforzado y valeroso general, y amparado de un Príncipe, hermano de un
15 Rey de España, se inclinaban todos a hacerme mercedes, y yo a recibirlas.

Marchó después de lo referido Su Alteza la vuelta de Dunquerque, por estar aguardando la armada, que venía a cargo de don Antonio de Oquen-
20 do y de don Andrés de Castro. Determinéme a irle acompañando, por lo que se me pegaba, y porque sabía que gustaba mi amo dello. Llegamos a aquella pequeña villa, que, por ser grande en valor, es terror de Holanda y opresión de las demás ar-
25 madas enemigas; cuyos invencibles bajeles, siendo ruina y destruición de las flotas holandesas, son los que abastecen y enriquecen estos Países. Llegó

6-7 *Atalanta: Vid.* pág. 151, t. I.
18-19, 22-25 *Armada: Vid.* pág. 216, t. I.
27 *Llegó, &.* Se trata de la desgraciada expedición de septiembre de 1639. (*Varias relaciones*, 251 y 254; Lafuente, *Historia de España*, XI, 283.)

la referida armada, con más grandeza que gobierno y con más velocidad que ventura. Salióla a recibir la holandesa, con menos fuerzas y mejor disposición; y al tiempo que se empezaron a pelotear, no agradándome aquel juego de raqueta, por no 5
llevar algún pelotazo de barato, estando en tierra y las armadas dos leguas a la mar, dejando a Su Alteza Serenísima en campaña, me fuí a la villa y me entré en un cantina adonde se vendía cerveza, por si acaso diese algún cañonazo en su edi- 10
ficio, no me pudieran empecer sus obras muertas; y pidiendo cerveza, cosa que jamás había probado, porque me dejasen estar en ella, estuve bebiendo toda una tarde potes de purga, por no recibir récipes de píldoras holandesas; y con hallarme las 15
tripas encharcadas como rana, no tuve ánimo para salir hasta tanto que cesó el ruido de la refriega y me aseguraron haber dado fin la disputa de las dos armadas.

Entró el proceloso invierno, coronándose los 20
montes de escarchados turbantes; vistiéronse las sierras de tersas alcandoras, y el tirano de las flores y bandolero de las hojas asaltó el bosque y combatió la selva. Volvió el león español a su leonera, y yo, como oso colmenero, le fuí acompañando para 25
lamerme los dedos en la cueva de la corte.

Al cabo de mucho tiempo marchó mi amo el

1, 7 y 19 *Armada: Vid.* pág. 216, t. I.
22 *Alcandora:* vestidura blanca, a modo de camisa.
27 *Al cabo de mucho tiempo.* La vuelta de Piccolómini a Alemania tuvo lugar a últimos de 1639 y comienzos de 1640. (*Varias relaciones*, 255.)

Duque de Amalfi con su ejército la vuelta del Imperio, por orden de la Majestad Cesárea, habiendo enviado para conducirlo al Conde de Lesén. A esta ocasión me sobrevino una tan rigurosa en-
5 fermedad, que me obligó a no poder seguirlo y a quedarme en Bruselas. Publicóse mi dolencia por toda la villa, por lo cual me venían a ver muchos amigos y conocidos. Visitábanme los mejores dotores, servíame con mucha puntualidad la huéspe-
10 da de la posada, asistíanme las criadas y regalábanme los vecinos. Faltóme el dinero, añadiéndose a una enfermedad otra; presumo que es mucho mayor la de la bolsa que la del cuerpo. Faltáronme a un mismo tiempo amigos y conocidos, dotores,
15 huéspeda, criadas y vecinos; con que me desengañé que aquellas visitas no se hacían por ganar una de las obras de misericordia, ni por ver a Estebanillo, sino a la fama de mi dinero y para ser esponjas dél. Este ejemplar me ha hecho conservar-
20 lo el tiempo que lo he tenido, aunque en ello he ido contra los preceptos y reglas de mi profesión.

Y porque con razón se diga que cosa mala no se muere, tuve entera y cumplida salud en muy pocos días; y hallándome convaleciente, fuí a visi-
25 tar a Su Alteza Serenísima y a pedirle licencia y ayuda de costa para ir a buscar a mi amo; el cual, no consintiendo que me fuese a Alemania, me mandó quedar en su servicio. No repliqué a esta pro-

---

27-28 *Me mandó, &*. Estebanillo sirvió durante tres años (según dice en la pág. 125, t. II) al Infante. Contándolos desde fines de 1639, esto nos lleva a los fines de 1642. Pero

posición, por verme muy débil para ponerme en camino. Y por lo bien que me estaba, entré a servirle con muchísimo gusto, y aunque mi oficio no era jurado, tiraba ración cada día y provechos cada hora. Aquí fué donde se me infundió un abismo de gravedad, viendo que de bufón de una Excelencia había llegado a serlo de una Alteza Real; y como otros dan en querer perros, monos y otros diferentes animales, dió Su Alteza en quererme bien (que hay ojos que de lagañas se enamoran, y como hay hombres de bien con poca dicha, hay pícaros con mucha suerte), y mostrarlo en mandarme hacer muy ricos y costosos vestidos. Gustaba de llevarme a la caza a caballo, y en sus coches cuando salía a tomar descanso del peso de su gobierno y a dar alegría a sus súbditos y regocijo a la corte; en cuyo apacible estruendo y sonoroso ruido me hallaba como el pez en el agua o como el aceite sobre ella. Tocóme la desvanecida por línea de presumpción, por verme favorecido y premiado; y como tal, sólo trataba de la comodidad de mi persona, aseo y regalo della. Y para que se entienda el mal tiempo que gozamos, hubo más de cuatro pares de presumidos que llegaron a tenerme envidia y procurar que cayese de la privanza, sin ad-

---

don Fernando murió en noviembre de 1641. Esta aserción de los tres años es uno de los muchos descuidos cronológicos que hay en esta parte de la obra, si ya no es que Estebanillo trata, con su cuenta y razón, de exagerar el tiempo de sus servicios.

4 *Tiraba: Vid.* págs. 104 y 150, t. I.

vertir que no era yo segundo Ruy López de Avalos, sino un pobre caballero alegre, con quien gustaba de entretenerse un príncipe, y que ellos, si querían usar mi oficio, pues tanto lo envidiaban, lo podían 5 hacer, y se hallarían tan favorecidos como me juzgaban.

Viéndome cargado de tantos émulos, traté, por si acaso de la próspera llegase a la adversa, de hacer recluta de doblones, que son los amigos del 10 alma y regaladores del cuerpo, para lo cual hice una lista de todos los príncipes, duques, condes, marqueses y barones del país, llenando un pliego de la letanía de sus nombres, con anotación al margen, en lugar de *ora pro nobis,* de las calles y pala- 15 cios en que vivían, y conforme la lista los iba visitando, al tiempo que estaban sobre la tabla, por ser propio (demás de gozar yo de muchos regalos) de hacer los señores mercedes, porque a las mañanas se levantan mustios y desabridos, y a las 20 tardes se hallan enfadados de negocios o fatigados de acreedores. Hallaba en los señores referidos tanta liberalidad y magnificencia y ostentación, que echaba de ver que ni había otro Flandes en el mun-

---

1 *Ruy López de Avalos* († 1428), condestable de Castilla. Véase Fernán Pérez de Guzmán, *Generaciones y semblanzas*, cap. V. La edic. de 1655, *de Avila;* pero la de 1646, *de Avalos.*

16 *Tabla: Vid.* pág. 101, t. I.

20 *Se hallan:* así la edic. de 1646. La de 1655, *se hallaban.*

23 *Ni había otro Flandes: Vid.* pág. 198, t. II.

do, ni otra generosidad en la Europa. Iba, por mis turnos, cogiendo la ofrenda y agradeciendo el beneficio. El día que me hallaba melancólico no visitaba a nadie, porque fuera contra razón ir a buscar quien me alegrase, siendo mi oficio alegrar a todos, 5 ni entrar pensativo y murrio quien iba a pedir dineros, sin llevar prendas de oro, sino una poca de parolina.

Llegóse el tiempo de las Carnestolendas, y yo, por agradar a Su Alteza y alegrar a todos los seño- 10 res de la corte, por el bien que me hacían, saqué un carro triunfal muy compuesto y adornado, y dentro dél una docena de bebedores escogidos a moco de candil, que con ser tan buenos despabiladores, quedaron a la noche de moco de pavo. Lle- 15 vaba una redonda mesa, donde los doce comían pan, muy espléndida de fiambres y cecina salada,

---

1-2 *Iba por mis turnos, &, hasta beneficio.* Falta este párrafo (que se halla en las edics. de 1646 y 1655) en las modernas. Sin duda fué tachado por algún censor.

8 *Parolina:* italianismo, por charla o palabrería.

9 *Carnestolendas.* Aquí se presenta una dificultad cronológica que sólo sería posible salvar suponiendo que Estebanillo relata sucesos ocurridos en el carnaval de 1639, haciéndolo, por equivocación, después de otros ocurridos con posterioridad a éstos (*vid.* pág. 77, l. 27 del t. II).

Sin embargo, el carnaval de 1639 transcurrió del 6 al 8 de marzo, y el de 1640, del 19 al 21 de febrero (Cappelli, *Cronología,* 180), y da la pícara casualidad de que se cita un poco más adelante (pág. 85, t. II) el mes de febrero... Pero resulta ridículo exigirle a su merced del señor bufón don Estebanillo tan estrecha cuenta.

15 *A moco,* según la edic. de 1646 y las modernas. La de 1655, *a boca.*

16 *Donde los doce comían pan:* alusión a la tabla o mesa donde los caballeros de la Tabla redonda comían con Car-

y dos botas de cerveza para apagar los apetitos de la carne. Representaba yo el zambo mayor de aquellos doce monos, teniéndolos instruídos a mis órdenes y mandatos. Iba en cabecera de mesa uno, 5 que por ser tan amigo de Baco lo representó aquella tarde muy al vivo. Iba desnudo en carnes y con una guirnalda de hojas de parra contrahechas, que le ceñía toda la cabeza, y otra enramada de las misma hojas, que le tapaba las pertenencias y bos-10 ques de la baja Alemania. Iba sentado sobre una bota de vino, y por ser tiempo de invierno y tierra no muy acomodada para triunfar en carnes, con tener asiento cálido de vapores y con ir menudeando jarros de su tridente, iba tan de Baco hibernizo, 15 que más parecía alma penando en Sierra Nevada que pellejo encima de tonel. Llevaba cada uno de los de mi cuadrilla, en lugar de cifras y cañas, un gran vaso en la mano derecha, lleno de cerveza, y en emparejando con cualquier coche de damas 20 o señores, les brindaba yo a su salud, y mis compañeros a un mismo tiempo y compás, sin saber puntos de solfa, empinaban los codos y hacían la razón. Llevaba de más a más otros tres criados, el uno para que fuese sacando la cerveza de los 25 toneles, y los dos para que fuesen hinchiendo las tazas que se iban vaciando; con tal cuidado y puntualidad, que jamás parecimos vírgenes locas, por-

lomagno: «con él muchos de los doce | que a su mesa comen pane» (romance: «Asentado está Gayferos»).

17 *Cuadrilla:* equívoco con las de los juegos de cañas.

que siempre estuvieron llenas las lámparas y las orejas encendidas.

Dimos tres o cuatro vueltas al tur, bebiendo a tantas saludes, que padecieron detrimento las nuestras; y cuando ya iba el aduar cuesta abajo, y nos hacía el vino y la señora doña cerveza a unos estar de *Asperges me, Domine,* y otros de *Humiliate capita vestra,* acertó a pasar Su Alteza, y haciéndole todos una salva real de tragos puros y refinados, nos fué forzoso salir rendidos, habiendo entrado triunfantes. Cayó nuestro desnudo Baco de la esfera de su tonel encima de la mesa de la comida, y echando abajo tablas, jarros, platos y vianda, se puso en postura de paciente en espera de ayuda; acudimos todos a ayudar a levantar a nuestro jefe, y demás de no poder conseguir nuestro deseo, nos quedamos de paso de judíos de la Resurrección, sin poder ninguno levantarse del puesto.

Viendo los carroceros que llevábamos que habíamos dado fin a los toneles y a la representación, y que todos habíamos caído sin ser Faetones, y que

3 *Tur:* galicismo por *tour*, vuelta o paseo, como puede notarse en la pág. 92, t. II. En ambos pasajes designa un paseo de Bruselas, el *Tour a la mode*, o *Cours*, llamado actualmente *Allée Verte.* (Gossart, *L'auberge des princes en exil*, pág. 280.)

Pero, según Baedeker (*Belgique*, pág. 44), esta *Allée* fué abierta en 1707 y, por lo tanto, mucho después del tiempo en que se desenvuelve la acción.

Otras veces (págs. 97 y 110 del t. II) la palabra *tur* tiene una acepción genérica.

17 *Paso:* efigie, o grupo de efigies figurativas de la Pasión, que se saca en las procesiones de Semana Santa.

por ser a vista de todo un pueblo nos empezaban a tirar lágrimas de Moisén, quizá porque pasara yo el martirio de mi santo, aunque lo sintiera mucho menos, dándoles rienda a los caballos, nos sacaron del paseo, bien acompañados de silbos y voces. Lleváronnos a una posada que tenía yo fuera de palacio, y como quien descarga pellejos de vino de carro manchego, nos fueron poniendo en tierra, tan domésticos y pacíficos, que ninguno meneó pie ni mano. Bajaron a mi helado Baco, y a puros azotes de los carroceros y de un concurso de muchachos que se habían juntado, le volvieron toda la frialdad en calor. Era tanto el tumulto de la gente que iba acudiendo, que tuvo por bien la patrona, por ver desembarazada la puerta y por saber que había de quedar satisfecha (por ser yo el autor de aquella danza), de entrarnos adentro y tendernos en un patio a que nos diese el sereno. Allí pasamos la noche, sin picarnos pulgas, ni inquietarnos mosquitos, ni despertarnos gallos.

Venida la mañana, volví en mí, y me hallé harto molido el cuerpo de la cama de losas en que había dormido. Contemplé la parva lobuna que cogía todo el distrito del patio, y a mi amigo y compañero Baco en medio della en cueros, metido entre cueros y roncando a más y mejor. Despertélos a

---

2 *Lágrimas de Moisén* se llamaba burlescamente a las piedras. *Moisén* = Moisés (*vid.* Ribadeneyra, *Tratado de la tribulación*, dedicatoria).

23 *Lobuna: Vid.* pág. 18, t. II.

25 *En medio della.* La edic. de 1655 suprime *en medio;* pero estas palabras figuran en la de 1646.

todos, y pagándoles su jornada de ración y representación, y habiendo contentado a la huéspeda, me fuí a palacio a esperar que Su Alteza se levantara, para que por mayor me pagara los gastos de la fiesta y la salva real que se le había hecho; porque se reiría el mundo de mí si, después de haber bebido dos botas de cerveza y una de vino y dormido una noche al sereno por el mes de febrero y en Flandes, fuera condenado en costas. En efeto, alcancé aún más de lo que pretendía, porque yo siempre pedía como criado de los más pequeños, y Su Alteza me daba como príncipe de los más grandes.

Determinéme por razón de estado o por satisfacer al vulgo de la sospecha que de mí tenían de lo de la prisión de Rupelmunda, o por mejor decir, por andar al uso como los demás, de tener un poco de quebradero de cabeza, con entretenimiento de galanteo. Aficionéme de una doncella de su señora, y dama de dame, labradora en el aseo y cortesana en guardar fe. Tenía pocos años y muchas astucias. Traía todo su dote y ajuar a cuestas, y el testamento en la uña. Servía, por ser huérfana y por estar en parte recogida, a una tía suya, tabernera, adonde yo tenía conocimiento y entrada los ratos de mi ociosidad. Puse los ojos en la tal polla, y pareciéndome que estaba ya en edad de poner

8 *Mes de febrero: Vid.* pág. 81, t. II.
14-15 *O por satisfacer, &.* Las edics. modernas suprimen toda la parte del texto que comienza en estas palabras y termina en *Rupelmunda* (*vid.* pág. 56, t. II).

huevos, le dí un día un pellizco tan apretado como el amor que le tenía, y ella me pagó la lisonja con una coz tan desigual a su adamadura, que malos años para la más briosa yegua. Y como es muy propio de pollinos el hacer el amor a coz y bocado. no extrañé el son de la castañeta.

Entróse ella en su aposento, muy enojada de mi atrevimiento, y yo me quedé en el portal, muy alegre por el favor de su coz. Huía de allí adelante de mí como del demonio, y no tenía poca razón; porque es muy fuera de las leyes del interés entrar enamorado con las pertenecientes a Cupido; porque ni Lucrecia tomara el acero, ni Porcia píldoras de brasa, si sus pretendientes hubieran entrado en pluvias de oro y no en torbellinos de conceptos, dando, en lugar de galas, pesadumbres, y pidiendo, en lugar de favores, celos, hinchéndoles la cabeza de aire y los cofres de sonetos, como si fuese mercancía que se hallase sobre ella para los forzosos gastos. En efeto, viendo que no llevaba bien los dedos para organista y que galanteaba al tiempo antiguo, y que en el presente no hay Elisas, Heros ni Tisbes, y que es más estimado el reloj que da que no el que señala, le envié un buen regalo a mi señora Dulcinea, con un criado mío, retrato de Sancho Panza, y un amoroso billete dándole a entender mi pretensión. La tal bobilla, como ha-

---

5 *El hacer el amor:* así la edic. de 1646. La de 1655, *el hacer real amor.*

15 *Pluvias: Vid.* pág. 233, t. I.

19 *Que se hallase sobre ella:* dinero en préstamo.

bía sido niña de muchos Gómez Arias, y de aquellas [de] "nunca en tal me vi", agarró la dádiva, recibió el recado y remitió el decreto para la consulta de su tía; dándome licencia para que, en achaque de entrar a apagar la sed del cuerpo, entrase a mitigar el calor del alma. Desde aquel día empecé a menudear en las visitas, y desde aquella hora comenzó la corderilla a pelarme, y la tía a desplumarme. Dióme por primer favor una rosa de listón, diciéndome que me la pusiera en su nombre, porque era el primer galán que había dado. Yo le dije:

—Reina mía, el galán yo lo soy, y me vengo a entregar a la prisión de los ojos que me han cautivado; damas son las que busco, y no galanes; nómbrese vuesa merced por mía y irán las cosas derechas, pues tendré yo dama, y vuesa merced galán.

Agradóle a la tía el discurso, y agarrándome la cinta, dijo:

—El señor Esteban tiene razón, que a las damas se han de dar galanes, y a los galanes damas, y por derechos desta sentencia me quedaré yo con este favor, que no faltará ocasión en que emplearlo.

Llegó nuestro amor tan adelante con el curso del tiempo, que nos miraban con cuidado los co-

1 *Niña, &. La niña de Gómez Arias*, leyenda dramatizada por Calderón en una de sus obras, en la cual la protagonista, abandonada inicuamente en manos de los infieles, prorrumpe en la misma exclamación que aquí pone por burla Estebanillo en boca de la tal sobrina de la tabernera.

frades que acudían a la ermita, y que nos murmuraba el barrio y la vecindad; y porque no perdiese por mí su buena reputación (que era reputada por doncella), sin ser piadoso Eneas, la saqué una noche de aquella encendida Troya, y di con ella en mi casa. No tuve a poca suerte, sino a gran milagro, el haberme librado del emplasto de su tía, por ver que jamás le dió para libros.

Era tan melindrosa esta dama, que no comía caracoles porque tenían cuernos, pescado porque tenía espinas, ni conejos porque tenían colas. Desmayábase de ver salir un ratón de su nido, y alegrábase de ver entrar una compañía de mosqueteros en el cuerpo de guardia. Comía en mi presencia por adarmes, y en mi ausencia por arrobas. Era enemiga de reclusión y amiga de libertad, y con rebozo de melancolía era celosía de la ventana y umbral de la puerta. Recibía al principio muchas visitas, con achaque de primos; y por informarme yo que todos los que la venían a visitar lo eran carnales, no queriendo sufrir segunda vez las armas que me hizo poner el Príncipe Tomás, la metí en clausura, y tomé aposento sin ventana a la calle y en calleja sin salida; no me faltó sino ponerle

---

1-2 *Murmuraba*, según la edic. de 1646. La de 1655, *mormuraba*.

2 *Y porque*. Las edics. de 1646 y 1655 suprimen el *y*.

4 *Sin ser piadoso Eneas*. Se refiere al pasaje del libro II de la *Eneida*, en que relata Virgilio cómo Eneas salvó a su padre Anquises del incendio de Troya.

22 *El príncipe Tomás*. Véase el cap. VIII, pág. 51, t. II.

un torno para parecer el Celoso Extremeño. Dejábale, cuando salía fuera, a mi criado para que estuviese de centinela de vista y que fuese espía de aquel campo; pero entiendo que esta diosa lo adormecía como a Argos, o que me servía de espía 5
doble. Cantábame ella cada noche que venía a casa aquella copla de:

> Madre, la mi madre,
> guardas me ponéis; etc.

Iba todas las fiestas a misa (y oía la de San Gregorio), y volvía a casa a hora de completas, por lo 10
cual di yo en acompañarla, y ella en sentirse de llevar tan cuidadoso escudero. Perdíaseme de cuando en cuando, y al tercer día, como ahogado, remanecía en casa de su tía; por cuya causa estuve 15
muchas veces determinado a hacerla pregonar o a ponerle un rótulo en las espaldas. Y aunque me hacía creer con lágrimas y juramentos que por mi mala condición se había retirado a casa de su tía y no había salido un punto de ella ni dejádose ver 20
de persona, con todo eso no dejaba de castigarla, con tal rigor, que la pobretilla no se atrevió a ha-

1 *El Celoso Extremeño:* el conocido protagonista de una de las novelas de Cervantes. Alusiones al *Quijote* pueden verse en la pág. 53 del t. II.

8 *Madre la mi madre.* Famosísima copla a cada momento glosada por los escritores del Siglo de Oro (*vid.* Clemencín, comentarios al cap. XXVIII de la parte primera del *Quijote*).

10-11 Las *misas de San Gregorio* se dicen durante treinta días seguidos.

Completas se llama aquella parte del oficio divino con que se terminan las horas canónicas del día.

cerme más falta, sino fué una sobra de voluntad, por un antojo que le dió de ser capitana, pudiendo ser real por lo velera y bien despalmada. Aficionóse tanto al son del parche, que después de haber servido de paje de jineta, hube menester orden de Su Alteza para hacerle borrar la plaza y que la volvieran a casa de su tía, fingiendo que un oficial conocido suyo se quería casar con ella. Cumplió la orden, y al cabo de los meses mil volvieron las aguas por do solían ir; con lo cual quedó ella pesarosa, y la tía alegre, y yo celoso.

Despiquéme en visitar tabernas, adonde entraba gastando largo, pagando adelantado y haciendo muestras de centenares de doblas para opinionarme de rico y cobrar crédito para adelante. En habiendo hecho cargadilla con dilaciones de trueques, y de hoy a mañana, mudaba de cuartel y buscaba nuevo alojamiento, adonde hacía la misma embestida y la propia retirada, de tal manera, que en término de un año no tenía crédito ni retiro. Todas las huéspedas me buscaban, pero yo no quería que me hallasen; salíanme a recibir a sus puertas cuando pasaba por sus calles, y viéndome perseguido de tanta demanda y seco de hacerles tantas promesas, determiné de andar de allí en adelante en haca de buen paso y sordo de ambas orejas.

2-3 *Un antojo, &.* El equívoco, harto transparente, hace burla de las liviandades de la tal dama con algún capitán, y la compara a la vez con una galera o nave *capitana real* (*vid.* pág. 105, t. I, así como pág. 92, l. 23, t. II).
Despalmar = limpiar la embarcación, embrearla y darle sebo. *(Dic. Auts.) Vid.* también *Villalón*, I, 85.

Fué muy provechoso a mi oficio el dejar el divertimiento de la dama y la ocupación de las tabernas, para poder acudir con más puntualidad al servicio de Su Alteza y al amparo de muchos títulos y señores que cada día me favorecían y remediaban. 5
Y así, después de haber venido de campaña, que por no ser coronista de guerras ni tratar cosas de tantas veras voy prosiguiendo con mis burlas, llegaron otras Carnestolendas, no tan heladas como las que resfriaron a Baco, ni tan calientes como 10
salimos sus compañeros. La codicia de la dádiva de Su Alteza y el deseo de alegrarle me obligaron a trazar otra mascarada en otro carro como el pasado, pero con diferente asumpto. Alquilé una cama con todos sus adherentes y un jumento de 15
buen tamaño, que no fué poca suerte el hallarlo en esta corte, donde hay tanta falta (y sobra) dellos. Hice aderezar la cama en la testera del carro y meter en ella al pollino, amarrado de pies y manos a dos fuertes palos fijados para el propósito; 20
cubrílo con una sábana muy delgada y con una muy labrada colcha, y dejándole sola la cabeza de fuera, le puse dejado della un cabezal y dos almohadas de muy blanda pluma. Vestí a un compañero de mujer, para que, representando serlo del po- 25
llino, fuera lamentando el verlo enfermo y en vís-

9 *Otras Carnestolendas.* Las anteriores (pág. 81, l. 9, t. II) se duda si fueron las de 1639 o las de 1640. Pero después (pág. 105, l. 5, t. II) se relatan sucesos ocurridos indudablemente en junio-agosto de 1640.

Acaso se trata del carnaval de 1641, cuya relación se inserta anticipadamente.

16 *El hallarlo,* en la edic. de 1646. La de 1655, *el hallar.*

peras de morir, la cual encubría debajo del avantal un gran orinal con su vasera. Llevaba otro en hábito de barbero con una cesta llena de ventosas y estopas, y un fingido oficial, con una jeringa que 5 podía servir de aguatocha para apagar fuegos. Iba yo vestido de dotor, con una ropa de levantar y un bonete de caer, unos guantes arrollados y un gran sortijón de piedra de jaqueca y chinelas terciopeladas. Llevé de más a más cuatro violones 10 sentados en la cabecera de la cama de nuestro afligido enfermo, y un pequeño tonel de cerveza, para que sirviese de orina.

Con toda esta preparación entré con mi carro en el tur o paseo, al tiempo que todo lo brillante 15 y lucido desta corte estaba en él, y en parándose alguna tropa de carrozas de señores o damas de calidad, empezaba la fingida mujer a llorar en altas voces, enjugando las dolorosas lágrimas con las sábanas del cuitado. Tomábale yo el pulso con mu- 20 cho reposo, pedía la orina, la cual me daba la afligida dueña con tristes suspiros; tomábala yo en la mano derecha, y con la izquierda me ponía unos antojos, y mirándola, haciendo con ella muchos espantos y arqueando las cejas, alzaba el orinal, 25 y de bote y voleo me bebía toda la orina, haciendo muchos ascos. Con los labios hacía señal al barbero para que le echase las ventosas, el cual, llegando

2 *Vasera* en la edic. de 1646. La de 1655, *visera*.
14 *Tur: Vid.* pág. 83, t. II.
23 *Antojos* llamábanse entonces (y así lo hace Estebanillo en este y en otros lugares) a los que hoy llamaríamos anteojos.

a la cama y sacando de la cesta media docena de grandes ventosas, le metía a cada una media libra de estopas, y encendiéndolas a la luz de una vela, se las iba pegando en el pescuezo, y del fuego de la estopa y pelo del jumento se levantaba una grande humareda y olor de chamusquina. Con el dolor de la quemadura se alborotaba el enfermo, y dando enviones por soltarse, hacía estremecer la cama. Volvía la mujer a gritar; y yo acallándola, y limpiándola con una rodilla de cocina, hacía señas al barbero que le quitase las ventosas, y mandaba a lo mudo al oficial que le echara la ayuda. Obedecíame con puntualidad, aunque no le echaba brodio, por guardarlo para mejor ocasión. Volvía a respingar el señor burro, a soltar tantos espumajos por la puerta de la dentadura como presos por el postigo desdentado. Fingía un desmayo la bella mal maridada, y por volverla en sí hacía al oficial que sacase el sacabuche, y haciendo señal a los músicos, tocaban sus violones, con que dábamos fin a nuestra callada y lamentable representación. Pasábamos adelante, y en encontrando otras carrozas de

1 *Y sacando*, en la edic. de 1646. La de 1655, *sacando*.
3 *Y encendiéndolas*. Las edics. de 1646 y 1655, *y encendiéndola*.
13 *Brodio: Vid.* pág. 238, t. I.
16 *Presos*. Comp. Quevedo, *Buscón:* relatando las incidencias de la prisión del protagonista, «estaba el bacín a la cabecera de la cama, y no hacían sino venir presos y soltar presos».
17-18 *La bella mal maridada*. Alusión a las famosísimas coplas de ese nombre. (*B. A. E.*, XVI, núm. 1459.)
20 *Violones*, en la edic. de 1646. La de 1655, *violines;* pero *vid.* II, pág. 92, l. 9, y pág. 96, l. 14.

títulos y personas, a quienes yo tenía obligación, hacíamos lo mismo.

Sucediónos un cuento harto solemne en el discurso de nuestro viaje, y fué que, saliendo hacia 5 una parte de paseo, que está sin población, en un pedazo de pradería, cerca de los muros desta corte, estaban dos pollinas en cinta, mendigando un seco pasto, y cuando nuestro doliente las vió, olvidando sus ardientes ventosas y ayuda de cámara o de 10 costa, empezó a alzar el cuello sobre las almohadas y a dar unos rebuznos tan recios, que obligaron a la triste de su esposa a trocar el llanto en risa, y a caerse todos los oyentes sobre los estribos y testeras de sus coches, del mismo achaque. Fué tanto 15 lo que se celebró la tal música, que en un instante pasó la palabra por todo el paseo, y todos me pedían, en acabando de ver la fiesta, que hiciese rebuznar al enfermo. Respondíales que yo no entendía su lengua, y así no me atrevía a suplicárselo; 20 pero que fuesen por las dos burras, que podría ser que se alentara a servirles y darles gusto. Solemnizaban la respuesta, prosiguiendo su viaje, y yo el mío.

Vine al cabo de hora y media a encontrar la

---

3 *Solemne*, por digno de ser celebrado o solemnizado. *Vid*. pág. 94, l. 21, t. II.

9 *Ayuda de cámara o de costa*.

Ayuda de costa = gratificación, y a la vez *ayuda* = jeringazo o lavativa. *Ayuda de cámara:* nuevo equívoco entre el nombre de una clase de sirvientes, de una parte, y la palabra *cámara*, que significa flujo de vientre. *Vid*. pág. 239, t. II.

21-22 *Solemnizaban*, por *celebraban: Vid*. pág. 94, l. 3, t. II.

carroza de Su Alteza, y mandando hacer alto a mi carro, volvía a hacer las mismas ceremonias, con más gracejo que en las demás partes; porque demás de la puntualidad y destreza, nos ayudó el señor pollino, haciendo su papel en tal modo, que a mí y al oficial nos hizo llorar, y a Su Alteza y a sus criados reír. Y fué de aqueste modo, que después de haber hecho las ceremonias acostumbradas, llegó el diligente oficial con su flauta llena de agua fría, reservada para aquel paso, y alzando la ropa y apartándole el dilatado mosqueador, haciendo puntería, le dió un flautazo y le apretó los condutos de tal suerte, que dejó muy bien aguado al paciente, sin haberse desayunado; el cual, sintiendo la frialdad del regadío y la borrasca de las tripas, como otros se echan con la carga, él se quiso levantar con ella, echando todo el resto de su fuerza; y al tiempo que el pobre barberote le sacó la alatonada culebrina, le dió un cañonazo de feno mascado con tal violencia y abundancia de tacos en medio del rostro, que le turbó la vista y le engrasó toda la delantera del vestido, y quebrando las ligaduras de los pies, enseñaba las virillas vizcaínas, tirando zapatetas a pares y truenos a docenas. Yo, porque no peligrara mi estercolado jeringador, pensando que me tuviera respeto por ser dotor, me llegué a su merced por volverlo a ligar y a arroparlo, porque no se resfriara; mas no atendiendo a las insignias de mi ropa y sortijón, o

19 *Feno*. Las edics. modernas, *sebo;* pero las de 1646 y 1655, *feno*, que ha de equivaler a *heno*.

creyendo que le había errado la cura (como suelen hacer muchos parientes suyos), me dió dos pares de coces, tan bien pegados, en la boca del estómago, que haciéndome pedazos el orinal, dió conmigo sobre las tablas del carro. Acudió el barbero a limpiar a su oficial, la mujer del llanto fingido a llorarme de veras, el asno a tirar respingos y cabriolas, y los músicos a huir dél. Su Alteza se moría de risa, y sus criados de placer. Siguió la carroza su comenzado paseo, y mis dos guiadores, viendo que nuestra fiesta había acabado en tragedia, desligando las manos al pollino, lo levantaron del lecho a que convaleciera y lo ataron a una parte del carro; y mandando a los violones que tocasen, salieron muy despacio del paseo. Llegaron a la posada, a tiempo que había vuelto en mí, y apeándome, me llevaron a mi aposento y me echaron sobre mi cama. Roguéle a la patrona que me cerrase la puerta y que no dejase aquella tarde a ninguno entrar a hablarme, porque me sentía muy malo. Hízolo así, y aquella noche, aunque me sentía quebrantado de las coces, me brindó de tal suerte al sueño la referida orina, que de un tirón alcancé la luz del venidero día.

CAPÍTULO NONO

[1640-1642]

Donde prosigue el fin que tuvo la referida máscara, la salida que hizo a campaña cuando se sitió Arras, el chiste que le sucedió con un vivandero, lo que le pasó a la retirada con su dama, y la nueva campaña de Aire, enfermedad y muerte de Su Alteza, y su partida a Alemania en busca de su amo, el Duque de Amalfi 5

Apenas el hijo de Latona, por el tur de su cuarta esfera, embanastado en su carricoche, nos vendía alegría en lugar de naranjada, cuando los llantos y suspiros de una mujer y el estruendo y alboroto de una tropa de gentes que subían por las escaleras de mi aposento me inquietó, no con poco sobresalto, al oír sus confusas voces y ver que abriendo mi puerta entraron a un mismo tiempo a darme los malos días (pues no les pueden dar buenos los que madrugan a pedir) la huéspeda de 10 15

---

9 - *Apenas el hijo de Latona, &.* Podría haber aquí una lejana remembranza de cierto pasaje muy conocido del *Quijote* (I, 2); pero también podría no mediar otra relación que la de satirizar ambos a los numerosos pasajes de la literatura del tiempo en que se entonaba una alambicada salutación a la aurora.

9 *Tur: Vid.* pág. 83, t. II.

casa, el ama del pollino, el dueño de la cama, los músicos y el barbero. Lloraba con tiernas lágrimas la dueña del jumento el haber salido su fingida enfermedad verdadera, y con duras razones me
5 pedía le pagase el valor dél, por causa de tener todo el pescuezo quemado, y andar desordenado de tripas y estar inútil para servirle. Poníame por cargo de conciencia la tiranía que había usado con animal tan donoso y humilde; jurábame que a sa-
10 ber para el efecto que lo quería, que antes me hubiera dado un hijo suyo que a su querido pollino; porque demás de haberlo criado, era sus pies y manos y quien le ayudaba a sustentar su pobre casa. Pedíame el oficial el valor de su vestido, o
15 que le comprase otro nuevo, alegando que por mi causa había quedado el suyo de manera que no sólo no se lo podía poner, pero ni llegar con media legua a la parte donde se le había quitado, por los aromáticos olores que de sí expelía. El camero de-
20 cía que era cosa de gentiles lo que había usado con él, pues su cama, hecha para descanso de cristianos, la había hecho lecho de animales, y que estaba resuelto a no recibirla, por estar medio chamuscada y llena de operaciones sardescas. Los músicos

---

13 *Su pobre,* en la edic. de 1646. La de 1655, *la pobre.*

16-17 *No sólo no.* Las edics. de 1646 y 1655 suprimen el segundo *no.*

19 *Los aromáticos.* La edic. de 1655 suprime el *los,* que figura en la de 1646.

24 *Operación* en el sentido de deposición o deyección, condiciendo con una de las significaciones de *obrar.*

pedían su jornada, y la huéspeda su quebrado orinal.

Consideré que todos tenían razón, y concertéme con ellos lo mejor que pude, por no tener ruidos por cosa tan justa. En efeto, todos partieron contentos, y yo quedé harto triste de apartar de mi lado las doblas, a quien había dado eterno sepulcro, y en hallarme algo lastimado de las coces del enfermo y tener que pagar el alquiler de la ropa de dotor. Por saber que la buena diligencia es madre de la buena ventura, me levanté a dar modo de recuperar el gasto de lo pasado. Y porque Su Alteza no me dijera que lo iba a ejecutar de contante y que lo regocijaba a fuerza de interés, tomé la pluma, invocando el auxilio de las nueve, estando de vena prompta, por estar en ayunas, le compuse un soneto, dándole el atributo de "El señor Infante, Príncipe invito", para que sirviese de acuerdo de la fiesta y de anticipación a la paga. Advierta el letor que la ene de una línea sirve de eñe, que no le había de dar a Su Alteza renombre de Nao, y que, demás de ser licencia poética, es libertad bufónica. Decía desta manera:

---

9 *Y tener*. La edic. de 1655 suprime el *y*, que figura en la de 1646.

15 *Las nueve:* suple: *Musas*.

20 *Letor*, según la edic. de 1646. La de 1655, *lector*.

20-21 *Que la ene de una línea sirve de eñe*, según las ediciones modernas. La de 1646, *que la eñe de una línea sirve de ene*. La de 1655, *que la ene de una línea no sirve de eñe*. Preferimos, naturalmente, la lección que concuerda con la *N* inicial del verso quinto, que sirve, en efecto, de *Ñ*.

22 *Nao*. Algunas edics. modernas, *nau*. Pero ni una ni otra lección (ambas significan *nave*) aclaran el sentido.

El que dará a su   Patria eterna hazaña,
Lauros ganando y   Rayos expeliendo,
Siendo al mundo   Inmortal, pues que venciendo
Excede a Grecia, dando   Nombre a España;
Numa en la paz, y   Ciro en la campaña,
Orror de Europa,   Y fénix renaciendo
Rayo de luz,   Pues átomos vertiendo
Iris argenta cuando   Estrellas baña:
Nunca vencido   I centro de venturas,
Felice siempre, y con   Nacer muy hombre,
Angel divino,   A sol de las criaturas,
Nadie ignora su fama   Y su renombre:
Tú, lector, si por   Torpe conjeturas,
Esas dos   Orlas te dirán su nombre.

Agradóle a Su Alteza, por parecerle compostura dificultosa, y demás de quedar en opinión de entendido, conseguí mi pretensión, agradeciendo a las musas la brevedad de mi despacho.

Volví a hacer paces con mi ingrata Dulcinea, dándome de nuevo más sustos que los pasados y algunos madrugones. Cuando me vía cargado de cholla y en oficio de siete-durmientes, se le daba de mi amistad tres caracoles, y yo de su amor, cuando despertaba y la hallaba ausente, tres rábanos. Con estos pleitos ordinarios y con este ex-

10 *Felice.* La edic. de 1655, «feliz»; pero ha de corregirse «felice» para que conste el verso, tal como figura en la de 1646.

20 La edic. de 1655: «y dándome».

21 *Cargado de cholla y en oficio de siete-durmientes:* pesado de cabeza y soñoliento, a causa de la embriaguez.

22 *Se le daba.* La edic. de 1655: «te le daba». La de 1646: «se le daba».

24 *Despertaba y,* en la edic. de 1646. La de 1655 suprime el *y*, sin duda por errata.

traordinario sobrehueso anduvimos alborotando posadas e inquietando barrios todo aquel invierno.

Llegó la primavera, y en la mitad de su florido curso salí con Su Alteza a campaña con un lucido ejército. Llegamos a la vista de Arras, con in- 5 tento de socorrerla, por tenerla sitiada el campo francés. Había oído decir a Su Alteza que aquel día no se había de preservar su persona ni la de ninguno de sus criados de entrar en la batalla, si la presentaba el contrario, o de embestir con él 10 en sus mismas fortificaciones. Estas palabras infundieron en mi casi cadáver cuerpo un miedo tan intrínseco y helado, que ya me parecía que el tronitoso bronce fulminaba sobre mí sus carniceros estragos. Fuíme deslizando de las marciales tro- 15 pas, trayendo los achaques por los cabellos. Culpaba al caballo de flojo, y las cinchas de apretadas, a la brida de corta, y a los estribos de largos; y por más que me procuré quedar atrás, siempre topé compañeros. 20

Anduve montaraz, hasta que otro segundo yo, que se había retirado herido de la flecha de Caco, me dijo que se habían mudado los votos, por refrenarse los primeros ímpetus, con que sacudí mis últimos temores. Ofrecióse de ser mi lucero, in- 25 quiriendo adonde pudiésemos refrigerar los macilentos miembros, tan trémulos con el miedo como

5 *A la vista de Arras.* Ello ocurrió hacia junio-agosto de 1640. (Lafuente, *Historia de España,* Barcelona, 1888, XI, 285; *Varias relaciones,* 273 y 296.)

22 *Caco:* así en las edics. de 1646 y 1655. Las modernas: *Baco.*

frágiles con la gazuza; discurrimos los conocidos tabernáculos del trago, penetrando los límites del cuarto de la salud, y los hallamos tan desiertos de refrigerio como poblados de quien lo buscaba.
5 Aquí fué adonde di al diablo la guerra y adonde tuve por insensato al que tiene con qué pasar en la paz y viene a buscar picos pardos, y entre abismos de descomodidades anda solicitando su muerte. Fué tan general la hambre que se pasó, que para
10 poderla exagerar, basta decir que llegó a mí, que cuando le falta a uno de mi oficio, que es perro de todas bodas y registro de todas mesas, muy de rota va el negocio.

Llegamos una tarde a hacer frente de banderas
15 cerca de un pequeño villaje, desamparado de sus moradores. Y teniendo noticia que un vivandero traía medio saco de pan y dos jamones cocidos, y que por tenerlos reservados para él y su familia, no quería, por ninguna cantidad, socorrer a los
20 más amigos y conocidos suyos, traté de que alcanzase la industria lo que no podía la fuerza del dinero, y compelido de la hambre, le aceché y rondé más de una hora por el contorno de su tienda, desde adonde columbré que como hombre experto y
25 cuidadoso de aquello que tanto le importaba, tomó una pala, y haciendo un profundo hoyo a una

1 *Gazuza*, en las edics. modernas, que equivale a *hambre* y también a *bulla, algazara*. Las edics. de 1646 y 1655: *gaça*. *Vid.* pág. 104, t. II.
3 *El cuarto de la salud* llamaba nuestro *héroe* (y no es ironía) a la cocina. *Vid.* pág. 89, t. I.
15 *Villaje*. *Vid.* pág. 213, t. I.

parte de la tienda, metió en él el referido bastimento en dos sacos mediados, y cubriéndolo con unas tablas, hizo encima su cama, y se acostó, a más no poder, con su mujer y criaturas.

Yo, que atentamente estaba mirando por la vislumbre de la tela y resplandor de la luz el mal lance que había echado, me quedé más avergonzado que triste, por haber blasonado delante de muchos señores que le había de dar asalto a su guardada provisión. Al tiempo de quererme retirar de la parte adonde había estado sirviendo de atalaya, vi que la tienda estaba arrimada a una zanja, que servía de división y atajo a una acostumbrada vereda, y de impedimento de poder pasar gente de a pie ni de a caballo por ella; y por causa de tener más bien guardada su ropa y que le sirviese de foso y trinchea, había puesto el redomado vivandero su tienda en aquel sitio.

Pero como no hay cosa que más avive y sutilice el ingenio que es la necesidad, se me ofreció a la idea un ardid, con que me juzgué señor del pan y los jamones. Y por no perder tiempo, fuí a dar parte de ello a tres mozos de cocina, que servían a ciertos señores italianos, que prevenidos de cuchillones y de la mejor herramienta que pudimos hallar para este efeto nos encajamos en la zanja; y a la hila, como banda de grullas, fuimos marchando hasta la tienda, al tiempo que palpitaba

1 *Metió en él el referido:* así en la edic. de 1646. La de 1655 suprime el artículo *el*.
17 *Trinchea: Vid.* pág. 220, t. I.

un cabo de vela que había quedado. Tomamos a la luz de sus boqueadas el derecho de la cama de su dueño, que no estaba muy distante, y poniéndonos de rodillas, y no a hacer oración, comenzamos los dos a abrir mina al fuerte de los sacos, y los dos a ir retirando los desperdicios della. Tuve tan buena suerte, que hallando el terreno arenisco y blando, en término de hora y media, estando ya rendidos y cansados, desembocamos la mina en el pozo de los víveres, y cargando con los sacos, nos retiramos, sin ser sentidos a hacerle la repartición y a remediar la gazuza.

Tomando doblada parte de la presa por ingeniero, minador y guía, me retiré a dormir lo que quedaba de la noche. A la mañana, saliéndome a pasear y a ver si el sol había descubierto lo que encubrió la soledad de la noche, hallé al vivandero muy triste, a su mujer muy llorosa, y a sus hijos y criados cariacontecidos y llena la puerta de la mina de oficiales y soldados, los unos celebrando el disculpado hurto y otros santiguándose de la sutileza de la empresa. Dejéles a todos echando juicios, y volvíme a requerir lo que había ganado en buena guerra, temiendo no le hiciesen otra mina.

Con esta proporción me remedié hasta tanto que salimos a tierra de promisión, adonde estuvo todo sobrado. Y dejando aparte los sucesos de aquella campaña para el coronista, a quien le competen,

---

12 *Gazuza*, en las edics. de 1646 y 1665: *Vid.* pág. 102, t. II.

digo que al fin della nos volvimos a Bruselas, adonde yo cobré nueva vida y nuevo ser, por verme libre de los trances de la guerra y del rigor de los enemigos. En la bonanza desta mar me deleitaba, en el golfo desta grandeza me divertía, la dulzura 5 de sus sirenas me conhortaba y la suavidad de sus Anfiones me entretenía, y últimamente, yo era el peje Nicolao de aqueste Mediterráneo, porque en sacándome deste centro, pasaba desmayos de recelos y parasismos de temores. 10

Aquí sólo trataba, por ver que andaba melancólico Su Alteza, de alegrarlo y divertirlo, unas veces contándole los discursos de mi vida y otras haciéndole relación de las ajenas. Inquietaba mi sosiego y perturbaba mi quietud un italiano de mi 15 arte y profesión, llamado Leonora, el cual, algunos días que acudía a la mesa de Su Alteza, lo que le faltaba de prosa, le sobraba de manos, y a costa

1 *Al fin* de la campaña: de la de 1640 (últimos meses del año), pues en la pág. 101 se acaban de relatar sucesos ocurridos en junio-agosto de ese año.

8 *Peje Nicolao.* Así la edic. de 1646. La de 1655: *pez Nicolao.* Esta leyenda napolitana venía desde largos años difundida en España. Dice Pero Mexía (¿1499?-1551), en su *Silva de varia lección* (1542), cap. XXIII de la primera parte: «Desde que me sé acordar, siempre oí contar a viejas no sé qué cuentos y consejas de un pece Nicolao, que era hombre y andaba en la mar. Lo cual siempre lo juzgué por mentira y fábula, como otras muchas que así se cuentan.» (Cita de Menéndez y Pelayo, *Orígenes de la novela,* II, pág. XXXI.)

Véase Benedetto Croce, *Saggi,* 152; íd., *Storie e leggende napoletane,* passim; Cervantes, *Quijote,* II, 18, y comentarios de Clemencín y Pellicer al mismo lugar.

15 *Quietud,* en la edic. de 1646. La de 1655 y las modernas: *inquietud.* Lo primero es una redundancia, pero lo segundo sólo admitiría una enrevesadísima explicación.

mía hacía alarde de su graciosidad, alargándome
unas veces el pescuezo, sin ser ahorcado, y otras
arañándome la cara, como si fuéramos verduleras,
con que provocaba al conclave a risa y a mí a
5 cólera; porque en oponiéndome a la defensa, con
sólo un papirote daba con mi débil cuerpo en tierra. Aprovechábame de aquel refrán de "a fuerza de villanos, hierro en medio", y salíame muy
mal la industria; porque siendo él, demás de fuer-
10 te, animoso, me hubiera despancijado muchas veces, a no ser Su Alteza el iris de paz y amparo de
mi defensa. Decíale, porque no blasonase de sus
fuerzas, cuando veía que estaban inquietos los nu-
blados de su cólera, que tres cosas de valor no se
15 estimaban en el siglo presente, que eran: consejo
de pobre, galas de cortesana y fuerzas de ganapán.
Él, por motejarme de miserable, porque no gastaba con él los doblones, que no se perderían por
mal guardados, me respondía que tres cosas le eran
20 necesarias a un bufón para poder campar alegre-
mente y para granjear amigos, que eran: boca de
confesor, espada de mercader y bolsa de señor generoso.

Con estas disputas graciosas y batallas burles-
25 cas daba gusto y placer a quien tantas mercedes
me hacía, no reparando en hacer escaramuzas de
gatos, pues siempre salía arañado, ni en rodar
media hora por la sala como vellón de lana. Lle-
gábase el tiempo en que Su Alteza cumplía años,

29 *Cumplía años*. Como el Infante-Cardenal había nacido el 16-V-1609 (Cabrera, *Relaciones*, 369 y 372), y han

y para celebrarlos, alabando el dichoso mes de mayo en que había nacido, hice un romance, y por dar a entender a algunos acaballerados fisgones de aquello que no entienden, que, muy presumidos de discretos, no estimaban mis versos, porque no eran 5
de poeta con don o descendiente de godos, que también los pobres y humildes saben hacer cosas de ingenio, pues tienen un alma y tres potencias como los más poderosos, y cinco sentidos como los más calificados, y que no hay cláusula en el testa- 10
mento de Adán que dejase, como señor que era entonces de todo el mundo, a los caballeros mejorados en tercio y quinto en las aguas de Hipocrene, y a los pobres, herederos del caño de Bacinguerra; la una fuente del Parnaso con licores poéticos, y 15
el otro caño cordobés con inmundicias selváticas.

El romance decía de la forma siguiente:

¡Oh, qué galán venís, Mayo!
Mas tenéis razón que os sobra,
tenéis justicia que os vale, 20
tenéis verdad que os abona.

Después que sois rey jurado
por las flores olorosas,
excelso Arturo os alienta,
supremo Favonio os sopla. 25

---

quedado ya relatados (pág. 105, t. II) sucesos de últimos de 1640, claro está que se trata del 16-V-1641, el último cumpleaños que había de celebrar el esforzado príncipe.

14 *Caño de Bacinguerra:* así en las edics. de 1646 y 1655. En realidad, se llamaba de *Vecinguerra*, por Vicén, o Vicente Guerra, uno de los que tomaron parte en la reconquista de Córdoba. Era un albañal muy sucio y pestilente. (*Vid.* Rodríguez Marín, nota al *Quijote*, IV, Madrid, 1928, pág. 447.)

Amaltea, en vasallaje,
os ha feudado su copia,
en tormentas de claveles,
en avenidas de rosas.
5 De jazmines y arrayanes
formáis matizadas floras,
siendo la campaña mar,
siendo las flores sus ondas.
Diréis que hoy hace Fernando
10 años justos, y que os toca
por nacer en vuestro mes,
el bastón, el peto y gola.
Es así, yo lo confieso,
que por ser verdad que consta,
15 hoy Madrid se regocija,
hoy Bruselas se alboroza.
Hoy, Mayo, ha de haber dos Mayos,
dos primaveras hermosas,
dos albas en sólo un día,
20 y en un día dos auroras.
Dos soles verá Brabante:
uno farol, otro antorcha;
uno planeta, otro infante;
uno en carro, otro en carroza.
25 Lleguemos a cuentas, Mayo,
y confesad sin lisonja:
¿Cuál merece más aplausos?
¿A quién más triunfos le tocan?
Diréis que por más antiguo
30 sois de la mesa redonda
príncipe, par y caudillo,
siglos, lustros, años y horas;
que por vos es Marte Adonis;
lasciva Venus, Belona;
35 incasta dueña, Lucrecia;
inconstante dama, Porcia;

que mientras tenéis el cetro,
la senectud se remoza,
la estéril vega se anima,
el inútil tronco brota;
que ufana produce Ceres, 5
que alegre dibuja Flora,
y sin ser reina Amaltea,
pensiles jardines forma;
que al alba las avecillas
sobre el cauce cantan solfa, 10
sobre el álamo gorjean,
sobre el mirto verde entonan;
¡mirra la floresta vierte,
cinamono el monte aborta,
diamantes da en risa el alba, 15
perlas da en llanto el aurora;
que hacen gratos maridajes
las fiestas más portentosas,
celebra el mar himeneos,
ostenta el céfiro bodas; 20
que sale halagüeño el Sol
con su mostacho a la moda,
sin nube que se le atreva,
sin vapor que se le oponga;
que por dar tapete al prado, 25
dan las plantas más frondosas
una tempestad de flores,
un torbellino de hojas;
que vos Mayo, sois del campo
quien lo enriquece o lo agosta, 30
quien lo alienta o lo destruye,
quien lo levanta o lo postra.
Estas son vuestras hazañas,
declaradas ya por propias,
que ni el olvido las niega, 35
ni el tiempo anciano las borra.

Aleguemos por Fernando,
mayo alegre desta zona,
feliz primavera en Flandes,
Sol hermoso desta Europa.
5 Que es más moderno, no hay duda;
pero más argenta y dora
quien al orienta da luces
que quien al ocaso sombras.
Este mayo, en pocos mayos,
10 muchos privilegios goza;
prevista deidad le alienta,
hesperio candor le adorna.
Este el Sol es su menino,
el alba es su precursora,
15 y es el día más sereno
de aquesta perla la concha.
La palestra se estremece;
que ¿a quién no admira y absorta
ver un piélago de dichas,
20 ver un golfo de vitorias?
Sin número son sus hechos,
sus acciones belicosas,
dignos de laurel sus triunfos,
dignas de palma sus glorias.
25 Su natural es divino,
su condición milagrosa,
su compostura suprema,
su conversación heróica.
¿Quién vió lebrel arrojado,
30 cuya piel, por prodigiosa,
aspira a vellón de tigre,
y espira en vellón de onza;
que por falta de discurso,
o se enfurece o se enoja
35 de ver en el tur del cielo
correr a la Luna postas;

35 *Tur: Vid.* pág. 83, t. II.

y ella a su arrogancia muda,
cuanto a sus ladridos sorda,
de luces la tierra inunda,
de plata las minas colma?
¿O nube densa, atrevida, 5
que llena de vanagloria
se opone al Sol cara a cara,
y le embiste proa a proa;
mas el celeste diamante,
que por ser tan luminosa 10
su claridad quiso el cielo
vincularlo por su joya,
la deshace en plumas rizas,
la desminuye en garzotas,
en lluvias la desvanece, 15
en vapores la transforma?
¿O mariposa que al prado
sus varios matices roba,
siendo pintada alcatifa,
la que fué blanca alcandora; 20
que puesta a la ardiente llama,
fluctúa el cerco animosa,
para ser despojo débil
lo que fué altanera pompa;
y el fuego, que refulgente 25
sus atrevimientos nota,
ni precipitado ofende,
ni enternecido perdona?
Pues de aquesta misma suerte
a aquesta Luna española, 30
a este claro Sol de Austria,
a esta llama vencedora,
el que se le opone altivo,
el que de Alcides blasona
es a rayos deste Apolo 35
lebrel, nube y mariposa.

Si es su estrella favorable,
si es su suerte poderosa,
si va en bonanza su dicha,
si va su fortuna en popa,
5 fuerza es, Mayo, que os exceda
pues su ventaja es notoria,
su valor más conocido,
su calidad más grandiosa.
Rendidle a Fernando el cetro,
10 entregadle la corona;
sea Mayo, y como rey
fueros quite y leyes ponga.
El Sol en el año impere,
cual la deidad portentosa,
15 que es por gusano y por ave
hija y madre de sí propia.
Dadle el vítor de sus años,
lleve el grado con la borla,
los árboles lo respeten,
20 las flores lo reconozcan.
A sus años tan felices
tocad la sonora trompa,
la caja la tierra altere,
el clarín los aires rompa;
25 flores el parque derrame,
el palacio vierta aromas;
porque goce en holocaustos
lo que su fama pregona.

Díselo a Su Alteza, y como príncipe tan perfec-
30 to, sin reparar en la humildad del verso, premió lo realzado de mi voluntad; porque son excusas de avaros y malos pagadores el calumniar al poeta

1 *Si es su estrella:* así en la edic. de 1646. La de 1655 suprime el *su.*

y censurar sus versos, para quedarse de gratis con sus obras; pero tienen poco de Jerjes, pues no estiman el corcho de agua, y mucho de Midas en guardar su dinero.

En este tiempo gastaba yo el que tenía en regalar a mi miñona, sin reparar que eran obras hechas en pecado mortal y que sembraba en mala tierra. Queríala por lo que me costaba, y estimábala por ser mujer y porque al fin habemos nacido dellas. Mas la tal señora no me estimaba sino porque la sirviese de Marqués del Gasto y Conde de Cabra. Tenía yo la fama de ser su galán, y otros cardaban la lana. Decíame que me tendría por ídolo de su altar si llegara a verme ciego, mudo y sordo, y alabando mis dádivas, vituperaba mi persona. Y mientras más pesos falsos me hacía, quería que yo la estimase más y que la maltratase menos. Pedíame unas veces matrimonio, otras divor-

2 *Jerjes.* Plutarco refiere, no de Jerjes, sino de Artajerjes, hijo de éste, que recibió muy gustoso, de un rústico que no podía hacerle otro presente, el agua que pudo coger en el cuenco de la mano. Ello se convirtió en un lugar común entre los escritores del Siglo de Oro. (*Vid.* notas de los señores Quirós y Rodríguez Marín a las *Flores de poetas ilustres*, de Espinosa, Sevilla, 1896, I, poesías 3 y 305-306, y Tirso de Molina, *Cigarrales de Toledo*, edic. Renacimiento, 119-123.)

6 *Miñona* es galicismo, por *mignone*. La edic. de 1655 suprime el *mi*, por errata.

11-12 *Marqués del Gasto y conde de Cabra.* Equívocos de la misma calaña del ya anotado en la pág. 115, t. I. Véase también Cervantes, *Quijote*, edic. del Sr. Rodríguez Marín, II, 106 y 275; y el *Crotalón*, atribuído a Villalón, en *N. B. A. E.* VII, 185.

18 *Pedíame.* La edic. de 1655: *pedíamos.* Pero la de 1646: *pedíame.*

cio, y eternamente *danari y piu danari.* Y por darme más muestras de su fineza y obligarme a quererla más, amaneció un día en mi casa, y anocheció veinte en las ajenas. Por lo cual, más por venganza que amor, o más celoso que desapasionado, la hice prender a pedimento de su tía y meterla en una torre, como a doña Blanca de Borbón, adonde se sustentaba a mi costa, pareciéndome en todo y por todo al perro del hortelano.

Quiso mi dicha que, para apartarme desta fiera esfinge y cruel Lamia, llegase la alegre primavera, acompañada del Céfiro y Favonio, y lisonjeada de Flora y Amaltea, la cual dando esmeraldas a los prados, librea a las selvas y esperanza a los montes, animó las flores, resucitó las plantas y enamoró a las fieras; por cuya venida y por haberse puesto el ejército francés sobre la villa de Aire, salió Su Alteza a campaña para socorrerla, no quedándome yo en zaga, porque más quería arriesgarme a ser prisionero de un turco que esclavo de mi perversa Dalila, porque mucho mejor me estaba ser

1 *Danari y piu danari.* Las edics. de 1646 y 1655: *dinare y piu dinare.*

2-3 *A quererla:* así en las edics. modernas. Las de 1646 y 1655: *a la quisiese.*

7 *Doña Blanca de Borbón,* esposa del rey don Pedro el Cruel, fué encerrada por éste en el castillo de Arévalo.

11 *Lamia* es heroína de uno de los libros del famoso don Antonio de Guevara, a la cual se refirió Cervantes en el prólogo de la primera parte del *Quijote.*

17-18 *Salió S. A. a campaña.* El Cardenal-Infante salió de Bruselas para socorrer a Aire el 8 de junio de 1641. (*Vid.* Rodríguez Villa, *El coronel Francisco Verdugo,* pág. 132.)

21 *Mejor me estaba,* en la edic. de 1646. La de 1655: *mejor estaba.*

burro de una tahona que consentir que ella me acabase de sacar los ojos.

Después de varios sucesos que tuvo Su Alteza en campaña, unos prósperos y otros adversos, habiendo vuelto a sitiar la villa por haberla ganado 5 el enemigo y hechas fortificaciones tan inexpugnables, que daban terror a los sitiados, fué Dios servido de darle una enfermedad tan de repente y tan violenta, que le fué necesario retirarse a la villa de Cortray, quedando el ejército a cargo del 10 Barón de Beck, tan celebrado por sus hechos como conocido por sus hazañas, y en quien tanto género de alabanza es muy corto a su gran merecimiento. Hallóse Su Alteza tan indispuesto, que pasó fama de que era muerto; y aun hubo personas tan in- 15 crédulas de lo contrario, que quisieron ver y creer sin ser apóstoles. Al cabo de algunos días fué volviendo en sí y cobrando mejoría; por lo cual, pidiéndome yo mismo albricias, por depender de su salud toda mi alegría y la de los Estados, le hice 20

4-5 *Habiendo vuelto a sitiar la villa.* Aire capituló el 26 de julio de 1641, y fué casi en seguida sitiado. (Rodríguez Villa, *op. cit.*, 160 y 163.)

8 *Una enfermedad tan de repente.* Ello ocurrió el 10 de agosto de 1641, y está relatado por Vincart. (Rodríguez Villa, *op. cit.*, 171.)

11 *El barón de Beck*, o de Becq, había sido nombrado maestre de campo general al comenzar la campaña de 1641, y quedó mandando, al retirarse el Infante-Cardenal, enfermo, del cerco de Aire. (Rodríguez Villa, *El coronel Francisco Verdugo*, 108.) La edic. de 1655: *Beckk.*

16-17 *Ver y creer, sin ser apóstoles.* A causa de esta opinión del vulgo, quiso el infante D. Fernando hacer su entrada en coche descubierto. (*Vid.* pág. 117, t. II.)

los siguientes versos, tomando el asunto de la gran calentura que había tenido:

Dió Fernando entre arreboles,
soles;
5 brotando sus pocos mayos,
rayos,
y sus lucientes albores,
esplendores.
Viendo el mal tantos fulgores,
10 fué Faetón precipitado,
que el vuelo le han abrasado
soles, rayos y esplendores.

Tuvo el mal por enemigo,
castigo;
15 dándole su atrevimiento,
escarmiento;
gozando, pues se condena,
pena.
Si a la primavera amena
20 de Su Alteza se atrevió,
tenga, pues lo mereció,
castigo, escarmiento y pena.

Si nunca reserva el mal,
Cardenal,
25 mirara que es el triunfante,
Infante,
Y que es en todo y en parte,
Marte.
Mas ya abatió su estandarte,
30 cuando admiró su virtud;
porque tuviese salud
Cardenal, Infante y Marte.

---

21 *Mereció*, en la edic. de 1646. La de 1655, por errata, *merecido*.

Goce en edades lozanas,
semanas,
y a despecho de holandeses,
meses,
y para azote de extraños, 5
años.
Pues a España evita daños,
porque el mundo se alboroce,
viva siglos y en paz goce
semanas, meses y años. 10

Éstos le aliviaron alguna parte de su tristeza, y hallándose algo convaleciente, le pusieron en camino de Bruselas, para dar con él en la gloria. Llegó a esta corte, que se le mostró ufana y regocijada de verlo con algunas premisas de salud, 15 aunque después volvió su regocijo en sentimiento, por verlo recaer con menos esperanzas que tuvieron en la caída. Al fin quiso el cielo llevarse lo

---

12 *Le pusieron, &.* Don Fernando se enfermó el 10-VIII-1641 (pág. 115, t. II) y se retiró de su real frente a Aire, hasta Esterra, o Eterres. De aquí fué, embarcado, a Coutray y se encontró en Merín con D. Francisco de Melo. Pero allí se aburría, de suerte que, contra la opinión de sus médicos, se empeñó en ir a Bruselas, «conque con el mal tiempo que hacía y el movimiento y agitación de su cuerpo, y el trabajo del viaje y del camino y el aire frío que corría en entrando en la villa, queriendo hacer su entrada descubierto, para dejarse ver del pueblo, *porque dubitaban que estaba aún en vida,* se le aumentó la calentura y se le vino a caer un catarro sobre el pecho» (*vid.* Rodríguez Villa, *El coronel Francisco Verdugo,* págs. 172, 182 y 198). Las palabras que hemos subrayado aclaran otras de Estebanillo (pág. 115, t. II): «ver y creer, sin ser apóstoles».

18 *Quiso el cielo llevarse, &.* Falleció el Infante-Cardenal el 6-XI-1641. (Rodríguez Villa, *El coronel Francisco Verdugo,* 200 y 219; Cappelli, *Cronología,* 381.)

que era suyo, dejando a estos Estados sin príncipe que los gobernase, a España sin Infante que la socorriese y a los soldados sin padre que los amparase. Contar el sentimiento que hizo esta corte 5 y todos los Países, príncipes y señores dellos y todas las demás naciones, fuera proceder en infinito. Sólo diré que como yo, puesta cada cosa en su tanto, perdía más que todos, estuve tres días sin comer ni beber, hechos mis ojos dos fuentes y mi 10 corazón un centro de ardientes suspiros. Y por satisfacer en algo tanta merced y beneficio como me había hecho, compuse una glosa fúnebre para poner en su real túmulo, que es la siguiente:

Si la libertad lloráis,
15 *ojos, que perdido habéis,*
aunque más lágrimas déis,
en vano las derramáis.

Ojos, una muerte esquiva
le dió fin al sufrimiento,
20 porque un fuerte sentimiento
vuestra libertad cautiva;
y si el gran dolor os priva
del curso que ejercitáis,
el raudal no suspendáis;
25 pues viendo tales despojos,
no ceséis de llorar, ojos,
si la libertad lloráis.

Si en su bella juventud
adquirió renombre eterno,
30 si aplaudistes su gobierno,
si admirastes su virtud,
si vistes su rectitud,
si su fama conocéis,

si sabéis lo que perdéis,
llorad, que será tibieza
no llorar la gran riqueza,
ojos, que perdido habéis.

Cortó un golpe de guadaña 5
cetro y corona de gloria,
llevó el cielo la vitoria,
y perdió su Infante España;
y aunque el cielo su luz baña,
pues yace el cuerpo cual veis, 10
llorad, ojos, no ceséis;
pues a deuda tan debida
sólo pagáis con la vida,
aunque más lágrimas deis.

El alma, en celeste vuelo, 15
partió triunfante y ufana,
porque flor tan soberana
no era flor para este suelo;
llorad, ojos, con desvelo,
pues ya al orbe lo inundáis; 20
y aunque más lágrimas dais
son pocas, y no me espanto,
que si no es eterno el llanto,
en vano las derramáis.

Al cuarto día me apretó la hambre, aunque fué 25 más fineza en mí el haberme pasado sin beber que sin comer: imaginando que mis lágrimas no lo habían de resucitar, y que no era cosa decente llorar por quien estaba pisando rayos de luz, manojos de estrellas y racimos de luceros, dije: "El 30 muerto a la huesa y el vivo a la hogaza", y entrando en un penitente bodegón, al compás de "Dios te tenga en su gloria", henchí todos los vacíos y refresqué todos los secanos; y después de haberme animado, salí a desistir pesares y a buscar mi vida.

Como me veían sin señor ni amparo, todos huían de mí, a todos enfadaba, y mis gracias eran des-
5 gracias; nadie conocía a Estebanillo, ni nadie se dignaba de llegarme a hablar, como si yo hubiera sido dotor y errado la cura de Su Alteza. Viendo, pues, que aun mi moza se me hacía de pencas, después de haberla sacado de la prisión, y que
10 quería que mandásemos a semanas y que calzásemos los calzones a meses, me determiné de irle a hablar al Conde Traun, que estaba en esta corte por embajador extraordinario de la Majestad Cesárea, al cual le supliqué que le escribiese a mi amo
15 el Duque de Amalfi de cómo había quedado huérfano de tan gran Príncipe, sin herencia y reformado, que si gustaba Su Excelencia que se cantase por mí aquella copla que dice:

¡Vuelve a casa, pan perdido

20 El cual no se descuidó en hacerme merced, pues en el primer correo tuvo respuesta de mi amo, el cual le suplicaba me enviase a Alemania, que era

---

12 *Conde Traun:* así las edics. de 1646 y 1655. La de Michaud: Conde de Traun.

16-17 *Reformado: Vid.* pág. 69, l. 16.

19 *Vuelve a casa, pan perdido.* Alúdese a cierto romance, que figura en *B. A. E.*, XVI, y comienza: «De los desdenes de Menga | desdeñado se fué Bras» [recuérdese el Bras de la pág. 192, t. II], y sigue: «Vuelve a casa, pan perdido, | pues rogándotelo están...»

Vid. págs. 189, y 192, t. II.

Hay un refrán parecido: «Vuelve acá, pan perdido.» *(Entremés de los refranes.)*

21 *Tuvo:* así en la edic. de 1646. La de 1655: *tuve.*

donde se hallaba Su Excelencia, con la mayor brevedad que pudiera.

Envióme el Conde a llamar con un criado suyo; dióme la orden que tenía, y mandó que me pusiese en camino y me dió para el gasto dél. Pasó la nueva por esta corte, y empezó su burguesía a llover embargos sobre mí, y a querer hacer arrestos, sin haber en todo mi aposento sobre qué tropezar, ni alguacil que me prendiese, ni carcelero que me quisiese recibir en su prisión. Salió contra mí una querella de una vidriera, a quien después de haberle quebrado muchos vidrios, le había dado una cuchillada. Estando de tres dormidas, como gusano de seda, pedíame una patrona el menoscabo de una cama, porque estando una noche acostado en ella, y cual digan dueñas, soñando que vertía aguas en la proa de una galera de Malta, le inundé todos los colchones. En efeto, no quedó vinatera ni cocinera de tripa y callo que no cargasen a molestarme. Yo, ni negando la deuda ni ofreciendo la paga, les prometía satisfacción antes de hacer mi viaje; y al cabo y a la postre quedaron satisfechos de quien yo era, porque quedara yo muy desairado, y no se estimara mi caballería, sin pagar a mis acreedores, porque ni tuviera quien me cortejara a todas horas ni quien se acordase de mí en todos tiempos.

---

13 *De tres dormidas, como gusano de seda.* Pasaje que puede aclararse por otro de *La Tía fingida* y los comentarios que a éste pusieron los señores Bonilla y J. T. Medina.

26 *Cortejara.* Las edics. de 1646 y 1655: *cotejara.*

Fuíme a despedir de don Francisco de Melo, que estaba por gobernador destos Estados; y de todos los señores, así del país como extranjeros; y habiendo juntado muy buena garrama, por respeto
5 del dueño a quien iba a servir, me fuí a decirle adiós a mi querida Belerma y a derretirme con ella como si fuera portugués. Y después de haberle dado con qué poder pasar muchos días y de haber hecho muchas finezas y sentimientos de la forzosa
10 partida, le prometí de que daría muy presto la vuelta por sólo verla y regalarla; y que si había de sentir mi ausencia y gustaba de que me quedase, obedecería su gusto y despediría las postas. Ella, muy sonriéndose y reventándole por los ojos rayos
15 de alegría, por quedar en su libertad, sin tutor ni curador de su vida y milagros, me respondió:

—Señor Estebanillo, que vuesa merced se vaya

---

1 *Don Francisco de Melo*, conde de Azumar, gobernador de los Países Bajos desde noviembre de 1641 hasta 1644. (Cappelli, *Cronología*, 381.)

4 *Garrama*, especie de contribución que pagan los mahometanos a sus príncipes. Metafóricamente, robo, pillaje, hurto o estafa. *(Dicc. Acad.)* Compárese: «✠ Relación de la gran vitoria que tuvieron las galeras de Florencia en el Canal de Constantinopla, con las galeras que enviaba el Rey de Argel al Gran Turco, con la garrama que había cobrado en los Estados del poniente, que eran dos millones, y un presente de treinta cautivos cristianos y ocho doncellas calabresas, en 28 de noviembre de mil y seiscientos y veinte y cuatro.» (Almansa y Mendoza, *Cartas*, 390.)

6 *Belerma:* una heroína caballeresca, amada tiernamente por el paladín Durandarte. Miguel de Cervantes, en su *Quijote* (episodio de la cueva de Montesinos), trató irónicamente de los amores de ambos.

7 *Portugués.* En la literatura del Siglo de Oro los portugueses son presentados, por lo regular, como amantes derretidos y extraordinarios.

o se vuelva, que se quede o no, *pour moi c'est tout un.*

Y aunque tal despejo y desvío declara el corazón más firme y constante, a mí se me encendió de tal suerte, teniendo sus ofensas a favor, que, 5
salamandra de su fuego, sentía cada instante encenderme en la lumbre de sus ojos, y gustaba de estar hecho Tántalo de su belleza; porque es muy de mujeres como la tal desestimar a quien las regala, y idolatrar a quien les quita lo que tienen y 10
les da muchas bofetadas, y de hombres como yo perder el juicio y gastar la hacienda por quien no lo agradece ni sabe guardar fee ni lealtad; pero al fin era yo tal como ella, y ella tal como yo.

Pudo más en mí el ir a buscar a mi amo que no 15
la prisión de mi libertad, ni el estar en la gloria de Niquea; y dejándola en un monasterio, más por fuerza que de grado, tomé las prevenidas postas, y repitiendo al son de su trote: "Adiós, Bruselas", pasé a Namur, Marcha y Lisel, adonde después de 20
romper los cristales de la Musela y fatigar el bosque de Crucenaque y desempedrar las calles de

---

1-2 *Pour moi, &.* La edic. de 1655: *pour moy es toutun.* La de 1646 igual, salvo la división de *tout un.*

13 *Fee: Vid.* págs. 238, t. I y 227, t. II.

20 *Namur,* ciudad de Bélgica. *Marcha* es *Marche,* en el camino de Namur a Luxemburgo, población en otro tiempo fortificada. (Baedeker, *Belgique et Hollande,* página 197.) No he podido identificar a *Lisel* o *Lifel.*

21 *De la Musela: Vid.* pág. 206, t. I.

22 *Crucenaque: Vid.* pág. 8, t. II. *Wormes,* según la edición de 1646, y *Huvormes,* según la de 1655, es *Worms,* sobre el Rin. *Franquendal* es *Franquenthal,* en la Baviera

Wormes, Franquendal, Espira y a Donawerta (plaza del Duque de Baviera, adonde me embarqué en el caudaloso y nombrado Danubio, cuyas rápidas corrientes bañan el reino de Hungría, y con so-
5 berbia de golfo desembocan el mar de Constantinopla), desembarquéme en Viena, harto cansado de haber ido sobre elemento tan peligroso para todos, y de tan poco provecho para mí; y antes de descansar ni tomar posada, fuí a visitar las Ce-
10 sáreas Majestades, teniendo orden del mismo Emperador, así que entré en su real sala, que no hablase cosa que tocase a Su Alteza Serenísima el Infante Cardenal, por el gran sentimiento que hacía cuando lo oía nombrar la Césarea Majestad de
15 la Emperatriz, su hermana. Holgáronse de verme y de oirme, y haciéndome aliviar el mareamiento de mi embarcación, fuí a besar la mano al Marqués de Castel Rodrigo, que estaba por embajador ordinario de la Católica y Real Majestad y por su

---

renana, o Palatinado. *Espira*, ciudad de Baviera, también sobre el Rin. *Donawerta*, según la edic. de 1646; *Donaverta*, en la de 1655, es *Donawert*, en Baviera.

5 *Desembocan el:* así en las edics. de 1646 y 1655. Las modernas: *desembocan en el.*

17-18 *El Marqués de Castel Rodrigo*, segundo de este título, D. Manuel de Moura y Corterreal, consejero de Estado en 1599; embajador extraordinario en Roma en 1632; embajador en Roma hacia 1634-1637; embajador en Viena (según Estebanillo, págs. 135, 140 y 146, t. II) hacia 1642-1643; gobernador de los Países Bajos desde 1644 a 1647; de vuelta en Madrid hacia enero de 1648; fallecido el 28-I-1652. (*Cartas*, II, 130, 133, 221, 223, 231; íd., VII, 149, 442, 570; Garma, *Theatro universal*, IV, 76 y 104; *B. A. E.*, XLVIII, 548 y 567; Cappelli, *Cronología*, 381; Duque de Estrada, *Comentarios*, 413 y 419.)

primer plenipotenciario para el tratado de las paces; el cual, procediendo como tan gran señor, me amparó y honró, no por quien yo era, sino por el valor de Su Excelencia.

Estuve algunos días hecho caballero festejador y recibidor general de cuanto me daban, mareándose de tal suerte la cochinilla del gracejo, que no trocara mi oficio por el mejor gobierno.

En este tiempo partió mi amo por la posta del ejército imperial, para venir a Viena, y teniendo yo noticia de ello, le salí a recibir al camino, y echándome a sus pies, le pedí perdón de haber dejado tres años su servicio, dándole por disculpa el haber quedado enfermo a su partida y el haber entrado a servir a un biznieto de Carlos V, hijo de un Rey de España y hermano del mayor Monarca del orbe. Hízome levantar y cubrir, y díjome que se hallaba indigno de recibir en su servicio a quien había tenido por dueño un tan gran príncipe.

Entró Su Excelencia en la corte, y así que se apeó en su palacio, me mandó que tuviese cuidado de visitar todos los oficios tocantes a la bocólica, y que los ajustase de suerte que fuera bien servido. Yo, no sólo tomando el mando, sino el palo, que así lo hacen los que no han sido nada y llegan a verse en bragas de cerro, hice visita general en

---

13 *Tres años: Vid.* pág. 78, t. II, nota.

24 *Y que los ajustase:* así la edic. de 1646. La de 1655: *y cuando los ajustase.* Las modernas: *y que yo los ajustase.*

27 *Cerro* es, en este caso, el manojo o mazo de lino, que después de rastrillado queda limpio y apurado de motas y

cocina, cantina y potajería, y los metí de tal manera en pretina, que decían que me había dado mi amo el pie y me había tomado la mano. Y al fin quise ser tan recto veedor, que me enemisté con
5 todos los de casa, desde el mayor al menor, los unos porque les quitaba el mando, y los otros porque les quitaba los provechos. Cantábame un criado, a quien no le había tocado la residencia, todas las veces que me encontraba:

10 Mal lograda fuentecilla,
detén el paso y advierte, etc.

En efeto, tuve un poco de buen tiempo en aquella corte, teniendo muchos provechos de dádivas fuera de casa, y muchos regalos dentro de
15 ella; pero en lo mejor dél se fué mi amo a gobernar las armas imperiales, por muerte del general Francisco Alberto, quedándome yo enfermo del

---

pajas. *(Dicc. de Auts.)* «Dos colchones de cerro, traídos, grandes, con su lana.» (Inventario de los bienes de Fernando de Rojas, apud. *Rev. de Filología Esp.*, 1929, pág. 377.)

10 *Mal lograda fuentecilla, &.* Insertó este romance Durán en su *Romancero* de la *B. A. E.* (XVI, 421); lo citó Antonio Enríquez Gómez en la *Vida de D. Gregorio Guadaña*, cap. VII, y Gallardo (*Ensayo*, II, columna 409) da razón de una composición que parece imitarlo.

17 *Francisco Alberto* [las ediciones de 1646 y 1655, *Fran. Alberto*], es en realidad el príncipe Francisco Alberto de Sajonia-Lauenburg, general imperial, derrotado por Torstensson en Schweidnitz el 1.° de junio de 1642, y fallecido el 10 del mismo mes y año. (Garollo, *Diz. biogr.*) Según datos que me fueron amablemente comunicados por el doctor Fabio Jacometti, director de la Biblioteca Comunale de Siena, Isidoro Ugurgeri Azzolini, en su libro *Le pompe sanesi*, Pistoia, 1649, t. I, págs. 206-215, le cita, al relatar sucesos de 1642, y dice que substituyó a

mal de los ricos; porque como me vió la fortuna puesto en razonable estado, quiso, mostrándose liberal conmigo, que de más de un millón de arrobas que había bebido, le pagase una sola gota de pensión, porque también ella reparte en la jurisdicción de los cuerpos sus millones y alcabalas, y algo se me había de pegar a mí de andar entre Príncipes y señores.

Apenas había mi amo salido de casa, cuando se conjuraron contra mí todos los criados della, por haber sido mequetrefe, metiéndome en aquello que no me tocaba ni era perteneciente a mi oficio. Llegó a tanto su atrevimiento, quizá por verme medio tullido, que habiéndome un día sentado en la cocina por gozar un poco del calor del fuego, llegó el cocinero, y echándome como a Luzbel de la silla abajo, enarboló en lugar de espada un asador, y pienso que se quedó en sólo el amago, por ver que, al tiempo de quererme levantar, me dió un pícaro de cocina tal sartenazo en la mitad de la cabeza, que a no ser de llano, me dejaba para siempre libre de la enfermedad de la gota. Y no paró sólo en esto, pues una criada barrendera, con quien no había usado de mi comisión, descargó sobre mis hombros media docena de escobazos, con que me obligó a besar dos o tres veces la tierra, sin ser

Piccolómini en el mando de las tropas imperiales, a petición de los alemanes, que envidiaban la gloria de aquél, pero al ser derrotado y muerto, le fué restituído el mando a Piccolómini.

1 *El mal de los ricos:* la gota, como indica unas líneas más adelante.

parte sagrada. Acudió el mayordomo al son del paloteado, y después de haberse holgado infinito de verme aporreado y tendido en el duro suelo, dándoles a todos razón y a mí baldones, me puso de pies en la calle, dándome con las puertas en la cara, adonde se me vino a la memoria aquel sentencioso adagio de que *en fiucia del conde, no mates al hombre.*

Yo, temiendo que pluvia que había empezado en palos y sartenazos no acabase en torbellino de sangre, animándome lo más que pude, tomé la posta y me fuí a buscar a mi amo, al cual hallé al cabo de algunas jornadas en la Moravia, en una villa llamada Helbruna, adonde le di mis quejas, y criminé lo que habían hecho en mi contra los criados. Mas aunque me hizo mucha merced y me prometió dejar vengado, al cabo de la jornada se quedaron ellos todos en casa y yo con mi sartenazo.

Llegó a aquella villa con su armada el Archiduque Leopoldo, y juntándola con la de mi amo,

7 *Fiucia* en las edics. de 1646 y 1655 (las modernas ponen *furia*). Esta voz *(fiucia,* o *fucia),* derivada del latín *(fiducia-œ)* es propia de nuestra lengua, y no constituye un lusitanismo, como pretendía Teófilo Braga (Menéndez y Pelayo, *Orígenes de la novela,* I, pág. CCXXI). Estaba ya anticuada al publicar, en 1617, Francisco de Cascales sus *Tablas poéticas* (edic. de Madrid, 1779, pág. 79).

En fiucia (o *en fucia*) *del conde, no mates al hombre:* refrán que aconseja que nadie obre mal, confiado en que tiene valedores, porque éstos no siempre podrán o querrán defenderle del daño que por ello le amenace.

9 *Pluvia: Vid.* pág. 233, t. I.

14 *Helbruna:* sin duda, Heilbronn (Wurtemberg). Vide pág. 129, t. II, nota.

19 *Armada: Vid.* pág. 216, t. I.

hizo plaza de armas general. Dió Su Excelencia un grandioso banquete al Archiduque y a todos los cabos de la armada, por agasajarlos; y porque corriese parejas su valor con su grandeza, bebióse en él a lo alemán; pero yo, sin ser la torre de Babel, bebí en todas lenguas, caí de todas maneras y dormí de todas suertes. Otro día muy de mañana marchamos en seguimiento del Sueco, el cual nos tenía sitiada una plaza en la Silesia, llamada Brique; pero siendo advertido el enemigo de la gran resolución que llevaban el Archiduque y mi amo de socorrerla, aunque se arriesgase de perder el armada, no osando atender a tan valiente determinación, se resolvió, con hallarse muy fortificado, no solamente en levantar el sitio, pero en dejarnos libre una villa, llamada Nais, que está a cuatro leguas de Brique, después de haberle puesto fuego por cuatro partes, sin haber emprendido por ninguna. Y habiendo sido informado el Archiduque de mi amo lo diligente que yo era y la confianza que en diferentes ocasiones se había hecho de mí, y la merced que me hacía Su Alteza (que esté en gloria) cuando estuve en su servicio, me mandó

2 *Un grandioso banquete.* Dice Ugurgeri Azzolini (según los datos que debo a la amabilidad del doctor Jacometti: *Vid.* pág. 126, t. II), refiriéndose al año 1642, que como Torstensson quisiese asediar a Bruna [Heilbronn], Piccolómini lo previno metiendo dentro mil mosqueteros y, habiéndose reunido todo el ejército imperial, banqueteó Piccolómini al Archiduque y a todos los jefes y fué declarado Mariscal de Campo General.

3 y 13 *Armada: Vid.* pág. 216, t. I.

que, haciendo oficio de correo, llevase estas buenas nuevas a Sus Cesáreas Majestades.

Llegué a Viena a toda diligencia, y apeándome en el patio del Palacio Imperial, di el despacho al Conde Buchaim, que hacía oficio de camarero mayor, queriendo más usar de las obligaciones de correo que de las preeminencias de gentilhombre entendido. Regaláronme todos los señores de palacio y criados de importancia, porque demás de mi buen humor, servía de correo de buenas nuevas. Mandóme dar Su Majestad Cesárea una cadena de oro de harto precio y que se me despachase con nuevos pliegos a la armada, adonde volví con mucha brevedad, y serví en ella toda la campaña el oficio de correo, advirtiendo al postillón que corriere estos renglones, por si escrupulea sobre el nombre de armada o ejército, que en Alemania se apellida deste modo, y que cuando no fuera así, nadie me puede quitar que yo la llame como quisiere, porque lo que se escribe de veras no goza la libertad y privilegios de lo que se compone en chanza.

Sitiamos una villa llamada Gross-Glogau, que está en el fin de la Silesia y en los confines de Polonia y de Pomerania, adonde mi amo visitaba muy a menudo las trincheas; y por probar mi valor, aunque ya tenía harta noticia dél, me llevó una maña-

13 *Armada:* V. pág. 216, t. I.

23 *Gross-Glogau.* Las ediciones modernas: *Glogau*, que es una ciudad de Silesia, a orillas del Oder.

26 *Trincheas: Vid.* pág. 220, t. I.

na consigo, más forzado que de voluntad, diciéndome que me quería hacer un valiente soldado, siendo cosa irremediable, si no es quitándome el pellejo como a culebra y volviéndome a hacer de nuevo. Esguazamos una ribera, llamada Odra, que pasa por medio de la asediada plaza, y llegamos cerca de las murallas, desde adonde el enemigo nos enviaba colación de balas sin confitar y de peladillas amargas. Yo, empezando por el credo y acabando en los artículos, le dije a mi amo que no me agradaba mucho aquel almuerzo, que me dejase a mí ir a nuestro cuartel y que trajese otro criado, que yo le renunciaba mi parte del honor que había de ganar en aquella acción. Él me respondió que de aquella suerte ganaría opinión y me haría memorable, que tuviese buen ánimo. A lo cual le repliqué:

—Certifico a Vuecelencia que no me falta otra cosa, y que yo no busco en este mundo pundonores, sino dineros en serena calma, sin sirtes ni bajíos.

Apenas acababa de pronunciar estas últimas razones, cuando nos tiró la villa un cañonazo tan derecho, que a bajar la puntería nos llevaba a los dos de bola o a uno de calles; y aunque no mostré flaqueza, por estar mi amo delante, cuando vi que poco distante de nosotros hizo a un soldado volatín de Carnaval, dándole remate de vida, no habiéndolo tenido de paga, cumpliendo con mi profesión, y

5 *Esguazamos: Vid.* pág. 83, t. I.

gustando más que dijesen: "Aquí huyó", que no: "Aquí cayó", me afufé con tal donaire, que parecía el suelto caballo a quien movían tantos vientos como espuelas. Llegué al cuartel con una tilde
5 de vida y menos de aliento; subíme al pajar, y sepultéme en la paja. Al cabo de una hora vino mi amo, y preguntando por mí, le dijo un paje que me había puesto en la pajada a madurar como níspero. Mandóme bajar, y llegando a su vista,
10 no limpio de polvo y paja, me dijo:

—Pícaro, ¿cómo sois tan cobarde que me habéis dejado, y a vista de una armada habéis vuelto las espaldas y puéstoos en huída?

Yo le respondí:

15 —Señor, ¿quién le ha dicho a Vuecelencia que yo soy valiente, o en qué ocasión no lo he hecho mucho peor que hoy? Si Vuecelencia me envió a llamar a Flandes para que le sirviese de soldado, está mal informado de mis partes, porque como
20 otros son archiprestes de presbíteros, yo soy archigallina de gallinas.

Obligóle la respuesta a convertir su enojo en placer y a disculparme de lo sucedido.

---

2 *Afufar* = Irse huyendo. (Hidalgo, *Vocabulario de germanía.*)

Vid. págs. 189, 224 y 259, t. II.

«Tomé las de Villadiego, afufelas, que una posta no me alcanzara.» (Mateo Alemán, *Guzmán de Alfarache*, parte I, lib. III, cap. 1.)

12 *Armada: Vid.* pág. 216, t. I.

CAPÍTULO DÉCIMO

[1642-1643]

En que prosigue el fin que tuvo aquel sitio y del viaje que hizo al reino de Polonia, y de lo que le sucedió a la vuelta en la batalla de Lipzig, que dieron los imperiales a los suecos, 5 y un reencuentro que tuvo con un trozo de vivanderos, y de la vuelta que dió a Flandes, y después al Imperio

Al cabo de ocho días, y habiéndonos retirado de la plaza, por venir el enemigo con gran poder, Su 10 Alteza el Archiduque me despachó a Polonia con dos pliegos de cartas, el uno para el Rey y el otro para la Reina, su hermana. Tomé la posta, llevando de compañía un ayuda de cámara del Gran Duque de la Toscana, el cual llevaba la nueva del feliz 15 nacimiento del primogénito de aquel Estado; el cual anduvo tan liberal conmigo, que me hizo la costa todo lo que duró el viaje.

---

5 *Lipzig* = Leipzig (Sajonia). Vuelve a nombrarla así en otros lugares.

13 *La Reina:* Cecilia Renata, hija del emperador Fernando II. *Vid.* t. II, pág. 134, l. 4 y pág. 254, l. 6.

16 *Primogénito.* Como estamos en 1642, resulta evidente que se trata del futuro Cosme III, nacido el 14 de agosto de ese año, que sucedió a su padre, Fernando II, en 1670, y falleció en 1723.

Llegamos a la corte de Polonia, adonde se apartó de mí a dar su embajada; y yo, anticipándome con la mía, me fuí al palacio real, y di el pliego en mano propia a Su Majestad; el cual, como no
5 me conocía ni tenía aviso de quién yo era, me hizo mil honras, y mandó que me fuese a descansar, que él tenía particular cuidado de despacharme. Fuí al cuarto de la Reina, di el pliego del Archiduque, su hermano, y ya por mis extraordinarias cortesías o
10 por advertirle en el pliego la calidad del portador, me mandó cubrir, y en lugar de enviarme a descansar, me mandó regalar y que cuidasen el señor Embajador. Dió aviso dello a Su Majestad, el cual se holgó mucho, celebrando la gravedad y tesura
15 con que le había dado el pliego.

Al cabo de tres días me despacharon, dándome trescientos ducados para guantes; y enviándole la Reina a su hermano, entre las demás cartas, una en que le encargaba que, si acaso me despachase a
20 los Países Bajos, me diese comisión de traerle unas puntas y una muñeca vestida al traje francés,

---

1 *La corte de Polonia* era ya Varsovia, como lo dice más adelante (pág. 152, t. II). Desposeída Cracovia de ese rango desde 1566, todavía continuaban consagrándose en ella los reyes (pág. 157, t. II). *Vid.* Gregoire, *Dict.*

4 *A Su Majestad.* Ladislao, o Wladislao VII, nacido en 1595, hijo del rey de Polonia Segismundo III, sucedió a su padre en 1632 y murió en 1648. Estaba casado desde 1637 con la archiduquesa Cecilia Renata († 1644), hija del emperador Fernando II y hermana del archiduque Leopoldo (*vid.* págs. 67 y 254, t. II). Véase Gregoire, *Dict.*; Labisse et Rambaud, *Hist. Univ.*, V, 722; *B. A. E.*, LXII, 360 y 368, y Forster, *Hist. Polonia*, 96.

21 *Francés.* Se ve cómo ya en 1642 la moda francesa se imponía, aun en aquellos remotos países.

para que sus sastres tomasen el modelo y le hiciesen de vestir a uso de aquel reino, por ser el de Polonia embarazado y no a su gusto.

Recibidos los despachos y dineros, partí en busca de la armada, y por no poder entrar por la parte 5 de los confines de Alemania, por estar tomados los pasos del enemigo, pasé por la Hungría; y habiendo llegado a la corte imperial, el señor Marqués de Castel Rodrigo, embajador ordinario del Rey Católico, me dió otro pliego de cartas para el 10 armada; y partiendo con toda brevedad en su alcance, entré en el reino de Bohemia, y pasando por Praga, llegué a Dresden, corte del Duque de Sajonia.

Allí tomé lengua de la armada, y me dijeron 15 que marchaba la vuelta de Lipzig en seguimiento de la sueca. Yo me di tan buena diligencia en seguir aquella derrota, que a las veinte y cuatro horas, una legua de Lipzig, descubrí a las dos armadas puestas en batalla campal y dándose muchos 20 bodocazos y cuchilladas. Aquí fué adonde el señor correo perdió todo el brío y quedó más cortado que una cernada. El caballo que llevaba, animado de las trompetas y cajas, quería embestir con los batallones; y yo, atemorizado de oír una fragua 25

---

7 *Los pasos del enemigo. Del* equivale aquí a *por el.*

7 *La Hungría. La* galicado, acaso no imputable a nuestro bufón, ya que el libro se imprimió por primera vez en un país de habla francesa.

20 *Batalla.* La segunda de Leipzig (2 noviembre 1642). Su relato, con un plano descriptivo de ella, en la obra de Gindely (III, 136-138), que hemos citado en nuestro tomo I, pág. 27.

de Vulcano y de ver desatadas todas las furias del averno, quería ponerme en huída. En efeto, estábamos de contrarias opiniones yo y mi camarada el rocín. Temía por una parte el perder los pliegos,
5 por venir sin postillón, y por otras dos mil el perder las ganas del comer y arriesgar el caballo, que me había costado muy buen dinero. Era tan grande y tan espeso el humo que causaba la artillería y mosquetería, y tan copiosa la polvareda que le-
10 vantaban los alados húngaros y frisones, que no me daban lugar a ver quién llevaba lo mejor.

Estuve un gran rato sin determinarme si pasaría adelante o volvería atrás, porque la gran turbación que tenía no me daba lugar a determinar-
15 me; pero al tiempo que me quise acercar un poco (sabe Dios con cuánto sobresalto) llegó a mí un batallón de los nuestros, diciendo que perdíamos la batalla por falta de la caballería del cuerno izquierdo, y preguntándome, pues era correo, si sa-
20 bía algún buen camino donde poder salvarse, le respondí que dejasen aquel cuidado a mi cargo y que me siguiesen; y con más miedo que todos ellos, los alejé de la tremenda palestra, de tal manera, que a la noche los acuartelé en un villaje a veinte
25 leguas della; porque si yo fuera tan diestro en los alcances como en las huídas, ya estuviera escabe-

3 *Estábamos de contrarias opiniones.* Hoy usaríamos en este caso el verbo *ser* y no el verbo *estar;* pero era otro el uso en el Siglo de Oro: «de ese parecer estoy yo», «estaba de su mismo parecer». (Cervantes, *Quijote*, I, 13, y I, 38, y notas del Sr. Rodriguez Marín, I, Madrid, 1927, 376, y III, Madrid, 1927, 185.)

chado a puros laureles. No fueron tan pocos los que me siguieron que no pasaron de dos mil, con que pudiera blasonar haber sido restaurador de tanta caballería.

Llegamos a puerto salvo, después de pasar la 5 borrasca, por hallar en el villaje una infinidad de vivanderos, que iban a nuestra armada cargados de bastimentos, ignorando el siniestro suceso; y habiéndonos juntado todos a consejo de guerra para darles un Santiago, y no de azabache, me en- 10 viaron a que sirviese de espía de los pobres demonios, para reconocer la cantidad que había y si estaban alerta. Volví al cabo de un cuarto de hora, y disminuyendo el campo contrario y animando el mío a la empresa, cerró con tal valor, que si 15 aquella mañana perdió una batalla en campaña, aquella noche ganó otra en poblado, con harto menos peligro y con mucho más provecho. En efeto, entraron los amigos a saco; era un confuso laberinto oír en el peso de la oscuridad de la noche 20 los gritos de los derrotados vivanderos, los llantos de sus angustiadas mujeres y los clamores de sus tiernas criaturas, los golpes de los descerrajados

---

10 *Para darles un Santiago*. Para atacarles y darles rebato. ¡Santiago y cierra España! era el grito de guerra y señal de acometida de los españoles. *Vid.* pág. 138.

Hay aquí sin duda una remembranza del soneto de Góngora «¿De donde bueno, Juan, con pedorreras?», que sigue luego: «que al dar un Santiago de azabache | dió la playa más moros que veneras». (Góngora, *Obras* edición Millé, número 297.)

21-23 *Llantos de sus, &*, hasta *tiernas criaturas:* así la edición de 1646. La de 1655 difiere en: *los clamores y llantos de sus tiernas criaturas.*

baúles, las embestidas a los sacos del pan, los asaltos a las botas del vino y el cierra, cierra a las arcas de ropa, sin usar de ninguna piedad ni misericordia, porque como tienen a los vivanderos en opinión que los roban y que se llevan todo el dinero de la armada, se habían revestido de Nerones.

Yo quise también probar la mano y ganar algunos despojos, pues había sido guía de los vencedores y espía contra los vencidos, y dejando a guardar mi caballo a un soldado que se me había dado por amigo, con intento de pescar otro mejor entre los muchos que llevaban los vivanderos, cargué con mi maleta de pliegos, y llevándola debajo del brazo izquierdo, metí mano a la espada, y cerré con el escuadrón de carros, a tiempo que estaban todos ellos en cruz y en cuadro, sin que hallase otra mercancía más que lágrimas y ternezas de sus dueños, por lo cual fué fuerza retirarme sin caballo. Y volviendo en busca del mío, hallé que el soldado a quien se lo había entregado se había acogido con él; de manera que me quedé sin el uno y sin el otro, por ser disparate dejar lo cierto por lo dudoso; de forma que entre tanto despojador vine yo sólo a ser el despojado, quizá por lo que había tenido de vivandero.

Venida la mañana, marché a pie, cargado con

2 *Cierra* se emplea aquí equívocamente, no sólo en su sentido usual y corriente, sino como grito de guerra (¡Santiago y cierra España!), significando el avance para combatir al enemigo. *Vid.* pág. 137, nota.
6 *Armada: Vid.* pág. 216, t. I.

la maleta, siguiendo nuestras derrotadas tropas, y encontrando con un coronel, me preguntó que cómo caminaba a pie. Yo le respondí que en la batalla me había llevado la bala de un cañonazo el caballo de entre los pies. Díjome: 5

—Por cierto, Estebanillo, que fuiste dichoso en no llevarte a ti, y que lo puedes atribuir a milagro, y ser buen cristiano de aquí adelante.

Marché poco a poco, hecho correo de a pie, hasta llegar a la corte de Praga, adonde hallé a Su 10 Alteza el Archiduque Leopoldo y a mi amo, que estaban recogiendo la gente que se había escapado de la pasada refriega.

Preguntóme Su Alteza cómo me había ido en Polonia, y yo le encarecí las mercedes que en ella 15 había recibido: y deseando saber la causa de mi venida a pie, le satisfice con decir que había llegado a la armada al tiempo de la batalla, y que animándome de ver a Su Alteza opuesto a los peligros, empecé a escaramuzar con las tropas ene- 20 migas, adonde me di a conocer bien a costa de su sangre; pero que habiéndome sido forzoso el retirarme, por ver al enemigo vitorioso, rendido el caballo de haberme puesto en salvo, me fué fuerza el dejarlo y venir a pie. Dió crédito a todo ello, 25 por ignorar la batalla de los vivanderos. Leyó las cartas, y en recompensa de haber salvado los pliegos y traídolos a cuestas, me mandó dar para montarme. Fuí a ver a mi amo, y contéle lo mismo,

---

11 *El archiduque Leopoldo: Vid.* pág. 68, t. II.

aunque, como me conocía, no pude, como con los demás, acreditarme de valiente. Envióme otro día Su Alteza con un despacho a Viena para Su Majestad Cesárea, y con otros para los Estados de 5 Flandes, dándome trescientos escudos para el camino. Fuíme a despedir de mi amo, el cual me dió otro pliego para don Francisco de Melo.

Llegué por la posta a Viena, di los pliegos y otros que asimismo traía a la Majestad Cesárea de la 10 Emperatriz y al Marqués de Castel Rodrigo. Allí conté maravillas de la batalla y mentiras ni vistas ni imaginadas, ganando mucho más con ellas que no gané en Yelves a coger aceitunas. Y habiéndome despachado, me volví a empostillar, y dándome 15 unas pocas de alas el rapaz virotero, resucitando en mí las cenizas del amor pasado, llegué en ocho días a Bruselas, adonde, después de haber dado mis despachos y hacer mis embajadas, me salí a pasear y a ver la tía de mi cuidado, la cual me lo 20 acrecentó con unos pucheritos que hizo, lamentándose de la desconsolada vida que había pasado aquel enjaulado serafín. Limpiéle las lágrimas con unas doblas que le di (iris de tales tempestades) para que la sacase de empeño y la trajese a casa. 25 Partió como una saeta; y yo quedé lastimado de su relación, aguardando el retrato de una penitente egipciaca. Mas presto me consolé, por verla entrar por la puerta, pálida como un madroño, flaca como una trucha, y con más papada que un

---

13 *En Yelves: Vid.* pág. 173, t. I.

canónigo. Por estas señas conocí lo que había sentido mi ausencia. Abrazóme tierna y estrechamente, y yo le di los brazos sospechoso y desengañado, y más cuando vi unos asomos de lágrimas en sus neutrales ojos, que debían de ser por la reclusión pasada o por la que esperaba entrando en mi poder. Pasamos aquel día con gusto; mas no tanto que no dejamos de tener tres pesadumbres, y en la semana trecientas, por ocasión de que por regalarla gastaba lo que tenía y lo que buscaba, y ella, por verme tan liberal, lo era también conmigo en darme lo que le pedía, que eran celos y más celos.

Volví a hacer una visita general a todos los señores desta corte, guiándome por la carta de marear de mi antigua lista, aunque por haber sido tan cosario en seguir aquellos rumbos, no necesitaba della. Satisfice algunos deudores, por pedirme la deuda con humildad y ofrecerme de nuevo sus casas con amor; que a quien esto no obliga, o se precia de muy caballero, o de gran tirano. Visitábanme los amigos que me habían menester, saludábanme los soldados que me querían pedir, y pegábanseme los brazos que me intentaban estafar. Mi dama, por desquitar algo del encerramiento pasado, volvió a hacer de las suyas, y dándoles a to-

15 *Mi antigua lista:* la aludida en el cap. VIII (página 80, t. II).

16 *Cosario* = trajinero, mandadero. Se emplea aquí en el sentido de persona muy conocedora de todos aquellos señores.

21 *Me habían menester:* así la edic. de 1646. La de 1655: *habían menester*.

dos piques de esperanzas, me daba a mí repiques de celos y capotes de desesperaciones.

Determiné de vengarme por los mismos filos y de sacar un fuego con otro fuego; para lo cual, 5 habiéndome acariciado otra dama tan buena como ella y de no menos servicios y virtudes, y que basta, para decir qué tal era, que ella me hubiese acariciado. En efeto, acepté el favor, y en agradecimiento de la mala elección que había hecho, la 10 convidé a merendar fuera de los muros, y por parecer hombre de mi palabra, otro día la envié a advertir por la puerta que había de salir y en el puesto que había de esperar, y a la hora que había de ser. Llegado el plazo, me presenté al desafío 15 campal, llevando por armas un gran jarro de vino y ciertos sazonados manjares. Llevé por padrinos un par de amigos, y por portadores de la merienda a mi querida prenda y a una conocida suya. Al tiempo que llegamos adonde la otra dama me es- 20 taba aguardando, me adelanté un poco. Después de haberla abrazado a letra vista, la di a entender que las dos que venían en mi seguimiento eran criadas mías, y señalándole la hostería donde había de entrar, volví a retaguardia, y le hice creer a la 25 señora mi moza ser aquella una persona de merecimiento y a quien yo tenía muchas obligaciones, y que la había convidado por haberla hallado en aquel puesto. Entramos en la hostería, y llamando al patrón, le pregunté que si sabía hacer una ensa- 30 lada con los tres artículos pertenecientes para salir perfeta. Él me respondió que si no fuera muy buena la que él me daría, que no le pagase nada de todo el gasto que hiciese en su casa. Cubrieron la tabla, y poniéndome yo y mi nueva pretensora en cabecera della, le empecé a brindar a lo flamenco, y a dar paz a lo francés, y a hacerle plato a lo español, comiendo los dos los mejores bocados. 5

Sintió de tal suerte mi antigua compañera este desprecio, que atragantaba podre por la boca y vertía ponzoña por los ojos, no porque ella me tuviese amor ni sintiese verme divertido en nuevo 10 empleo, sino por la poca estimación que della hacía en presencia de tanta gente; y lo más que le llegaba al corazón era ver que su competidora le mandaba pedir lo que faltaba en la mesa y le hacía que escanciase la bebida. Al fin, pagando agra- 15 vios de celos con venganzas de lo mismo, dimos fin a la obra y principio a la cuenta del gasto que había hecho el patrón; el cual, ajustando su conciencia, me pidió un patacón de pan, cerveza y ensalada y de la buena pro. Yo, tomando de la 20 mano a quien me había servido de novia en la mesa, me iba, diciendo no era obligado a pagar lo que me pedía, por no haber sido la ensalada a mi gusto.

El patrón me impidió el paso, pidiéndome el 25 escote; y por ver que se juntaba bulla de gente, porque no presumiesen que por miserable no le pagaba o por no tener con qué, me encaré con él y le pregunté que si acaso se acordaba de que me había dicho que si no fuera buena la ensalada, 30 que él me daba por libre del gasto que hiciese.

Confesó ser así, y que no solamente no podía estar más bien hecha, pero que nadie le llevaba ventaja en saberlas acomodar. Yo le respondí:

—Pues tan gran maestro sois en esa profesión, ¿qué tres propiedades ha de tener el que quisiese acertar a hacerla apetitosa y sin ninguna falta?

Replicóme que él no sabía más propiedad que es de cobrar su dinero, ni más faltas de que nadie la hiciese con él en írsele con su sudor. Díjele muy puesto en cólera:

—Pues para que veáis que sois un lego y un idiota en este oficio, el hombre que hubiere de hacer una buena ensalada ha de ser justo, liberal y miserable: justo en el vinagre, liberal en el aceite y miserable en la sal; y pues vivís de presumido, teniendo tanto de ignorante, porque no presuman los que nos están mirando que lo hago por no pagaros, ni vos os alabéis que no habéis cumplido lo que me prometisteis, véis aquí el real de a ocho que pedís.

Y diciendo esto, lo saqué con un puño dellos de la faltriquera, y arrojándole con mucha fuerza a unos convecinos jardines, le dije:

—Desta suerte se parte la diferencia y quedamos ambos pagados; y otro día sed más avisado conmigo, y seré yo más generoso con vos.

Celebrando el cuento y acción los mirones, y el

1 *No solamente no podía:* así las ediciones modernas. Las de 1646 y 1655: *no solamente podía.*

6 *Apetitosa*, según la edic. de 1646. La de 1655: *apeticiosa.*

hostelero avergonzado, bajó la cabeza y volvió las espaldas; pero yo, por andar más galante a vista de mi moderno galanteo, saqué otro real de a ocho, y llamando al que partía desconsolado, le dije:

—Ahora que os halláis convencido y no pedís nada, veis ahí lo que pretendíais.

Y arrojándoselo en tierra, me entré con mucha gravedad en la villa. Acompañé a la dama bisoña hasta su casa, y con mi vieja camarada me retiré a la mía, a la cual sirviéndole de escarmiento el referido desprecio, por no llegar a verse en otro acto semejante, dió en mostrárseme más apacible y en darme menos enojos, porque para el veneno y letargo de celos, ésta es la perfecta contrayerba.

En este tiempo la Condesa de Ulst, a pedimento de mi amo y por agradar a la Reina de Polonia, me dió una gran muñeca, vestida a lo francés, que había hecho traer de París. Compré cantidad de puntas de las mejores y más finas que pude hallar, en cumplimiento de lo que me había mandado el Archiduque Leopoldo, y llegándose el tiempo de poner el ejército en campaña, salió don Francisco de Melo, como su general, a visitar las fronteras, y me mandó que le siguiese, o presumiendo que yo era algún gran ingeniero, o teniendo noticia que

---

15 *Pedimento* en la edic. de 1646, y *pedimiento* en la de 1655.

16 *Por agradar a la Reina de Polonia.* Recuérdese que ésta (pág. 134, t. II) había encargado a su hermano, el archiduque Leopoldo, que le enviase una muñeca vestida a la moda francesa.

25 *Algún gran* en la edic. de 1646, y *un gran* en la de 1655.

era único minador de jamones y panecillos. Fuimos recorriendo todas las plazas, y llegando a la de Lila, me despachó como a correo para Alemania, con pliegos para el señor Marqués de Castel Ro-
5 drigo.

Di la vuelta a Bruselas, y por tener ya más satisfacción de mi dama, la dejé en casa de un mercader, que a saber la buena mercancía que le dejaba, estoy cierto que no la hubiera recibido. Déjele
10 pagados algunos meses adelantados y todos los vestidos y galas que yo más estimaba, por ser dádivas de Su Alteza; y después de haber dispuesto mis negocios lo mejor que pude y despedídome de mi Infanta Palancona y de los amigos del trago, tomé
15 la posta, y empecé a desmoler lo que había comido, a sudar lo que había colado y a trocar en el trabajo del camino la vida palaciega de la corte.

Partí de Bruselas en el mes que los enamorados sirven a sus amores; y divirtiéndome la variedad
20 de las flores, la hermosura de los campos, el susurro blando de los despeñados arroyuelos y el gorjear de las sonoras aves, llegué a Viena, y entregando los despachos que llevaba, por hallarme desocupado y por tomar algún descanso de tan
25 dilatado camino, trocando el oficio de correo en mi antigua dignidad, en achaque de "éntrome acá

---

14 *Infanta Palancona:* heroína de un entremés de Quevedo. (*B. A. E.*, LXIX, 508.)

18-19 *En el mes, &.* En la pág. 135 se han relatado ya sucesos de noviembre de 1642, y más adelante (pág. 174) de mediados de 1644. Probablemente, se trata de mayo de 1643.

que llueve" y "hace un sol que rabia", me entraba en el Imperial Palacio, y en las casas y posadas de todos los señores, unas veces echando lances en vacío y otras hinchendo la red; tomaba del pecador como venía, y sólo sentía a par de muerte unos pegatostes, que como emplastos de resfriado se pegan a los poderosos, y pensando que lo que me daban a mí les había de hacer falta a ellos, me hacían mal tercio, y muchas veces eran ocasión de salirme en *albis* y otras de disminuirme las dádivas. Yo les decía:

—Caballeros Lanzarotes, ya que no gozáis de la gloria del dar, no impidáis el infierno del pedir; y si sois tutores de las haciendas de los señores, sed curadores de sus honras y famas; pues no la gana un poderoso con henchiros a vosotros las valijas, ni a sus criados los jergones, ni con trasformarse en primaveras de galas; pues diferente renombre ganó Alejandro con dar, que no Heliogábalo con banquetearse y desperdiciar brocados y diamantes, y diferente fin tuvo el uno por ser dadivoso que el otro por ser glotón; y el que da imita a Dios, que siempre nos está dando a manos llenas infinidades de gracias y mercedes, y el que no da imita al mismo demonio, que sólo nos regala con pesadumbre y sobresaltos.

Después de haber hecho mi ronda, di en querer probar la ventura y en jugar con todos los títulos y coroneles, como si yo lo fuera o gozara de sus rentas; y unas veces por venir la mía debajo, y otras por entrarle a treinta y nueve el as, me dejaron

a obscuras de lo que había ganado en todas mis
corredurías y de las mercedes que me habían hecho
en aquella corte, y de las mercancías que yo había
vendido en ella; porque a tanto extremo ha llegado
5 mi codicia, que no he hecho ningún viaje que no
haya cargado dellas, llevando siempre cosas de
poco volumen y de mucho valor, y de aquello que
se carecía en el reino adonde llevaba los despachos;
pero no hay estreñido que no vaya de cámaras.

10 Al fin, sin poderme aprovechar de las liciones
de mis primeros amos, por jugar con gente de
libera nos, Domine, me vine a hallar como Juan
Paulín en la playa, y tan aborrecido de todos, por
la gran pérdida que había hecho, que andaba como
15 el alma de Garibay, que ni la quiso Dios ni el diablo. Pero por no dar un buen día a las corrientes
de Flegetonte, ni venganza a mis competidores,
valiéndome de unas resultas que me habían quedado, tomé la posta para ir a la villa de Passau,
20 junto del Danubio, corte del Archiduque Leopoldo.

Pero apenas había corrido media legua, cuando
pasando por un ameno jardín, que está cercano al
camino real, me conocieron unos señores y unas
damas que estaban en él holgándose, y hiciéronme
25 apear a tiempo que se cubrían las mesas de un
opulento banquete; y yo, por ser rogado y por ali-

12-13 *Juan Paulín: Vid.* pág. 167, t. I.

15 *Como el alma de Garibay*, que no la quiso Dios ni el diablo. Expresión folklórica comentada por Quevedo en la *Visita de los chistes*. (*Páginas escogidas*, edic. Calleja, 190.)

19 *Passau* en la edic. de 1646, y *Pasau* en la de 1655.

20 *Corte del archiduque Leopoldo: Vid.* pág. 68, t. II.

viar mi melancolía, cerré los ojos, y embestí con platos diversos y con vinos diferentes; pero entrando de vitoria, salí de rendimiento, porque tantos a uno era fuerza que diesen conmigo al través, y para acomodarme mejor de ropa blanca, el postillón que llevaba por guía quedó de tal forma, que no lo pudiera guiar a él un ejército entero; y creo que a ser convidados los caballos, pasaran también el mismo detrimento. Corrimos los dos parejas tan iguales, que nos apeamos a un mismo tiempo, comimos y bebimos a un mismo tiempo, y caímos a un mismo punto.

Acabado el banquete, hicieron diligencias aquellos señores, según supe después, para ver si nos podían volver en sí; pero advirtiendo que era cosa irremediable, nos mandaron llevar a una pradería, dentro del mismo jardín, adonde estaban nuestros caballos. Cargaron con nosotros dos docenas de criados, cantándonos cien responsos y haciendo cincuenta paradas, y echándonos mil jarros de agua; mas fuera muy poca toda la del convecino Danubio para apagar tanto fuego. A la tarde, después de haberse holgado muy bien con diferentes instrumentos, se volvieron todos aquellos señores y damas a la corte, dejándome encomendado al jardinero, para que tuviese cuidado de mí y de los caballos y maletas.

Quiso mi ventura que otro día de mañana acertase a pasar uno de los caballos nuestros tan cerca de su dueño, que le puso pie con pata y zapato con herradura. Obligóle el dolor y la carga a volver a este mundo, habiendo estado en el paraíso de Baco. Sentóse lo mejor que pudo, por no atreverse a levantar, desde adonde, no costándole poco trabajo, me despertó. Sentéme también a su lado, tan atolondrado como él, y tan fuera de mí, que no reconocía en la parte que estaba, porque imaginaba haber pasado de la gran Constantinopla. Preguntéle al postillón que cuántas postas habíamos corrido, y respondióme que a su parecer más de ducientas, según se sentía de molido y cansado. Púseme en pie, sirviéndome de bordón la cola de uno de los dos caballos, el cual, por no ser casado, tuvo ánimo de, al son de un medio relincho, darme dos pares de zapatadas, con que dió conmigo en un acopado nicho de una frondosa murta, con que me dejó hecho estatua de Baco en jardín de Flora. Y columbrando por sus verdes celosías que el jardinero venía hacia la parte adonde estábamos, olvidado del dolor y imaginando que estábamos en camino real, y que él era pasajero que venía por él, le pregunté que cuántas jornadas había desde allí a la corte de Viena. Él, riéndose de la pregunta y ayudándome a salir de mi capilla, me volvió la cara a la parte del mediodía y me dijo:

—¿Ve allí vuesa merced la torre de la iglesia mayor de la corte por quien pregunta? Por el distrito que hay de aquí allá puede conjeturar las jornadas que ha hecho después que salió de ella.

Quedéme más atónito de lo que estaba, por ver

6 *A la parte* en la edic. de 1646, y *a la par* en la de 1655.

el poco viaje que había hecho, pensando, según me había dicho el camarada, que estaba a vista de la villa adonde iba. Dile priesa al postillón a embridar los caballos; el cual, ayudado del jardinero, se levantó, y por ponerles las bridas en las cabezas, 5 se las ponía en las colas, lo de dentro afuera, y lo de arriba abajo; y por ser conocido de los trotones, no llevó de la colación que yo participé. El piadoso Belardo de aquella guerra, viendo que los tragos obligan a lo que el hombre no piensa, lo puso a 10 punto de leva, y nos ayudó a montar en ellos, que entiendo que no le costó poca fatiga, según estábamos de pesados. Abriónos la puerta del jardín, adonde se empezó a santiguar mi católico postillón, y picando trasero y amorrando a la parte de- 15 lante, tomó el camino de Viena, yendo yo en seguimiento. El jardinero, como sabía que no era aquel el viaje que yo hacía, nos empezó a dar voces advirtiéndonos que nos volvíamos a la corte. Yo, con darle al postillón más holas que hay en el es- 20 trecho de Magallanes, para hacerlo parar, era darlas al aire, por lo cual, apretando las espuelas a mi descansado rocín, pasé delante dél, y habiéndolo

9 *Belardo*. Remembranza de un famoso pasaje («que los trabajos obligan | a lo que el hombre no piensa») de cierto romance («Hortelano era Belardo») de Lope de Vega, que figura como anónimo en el *Romancero general* de 1600.

Véase Vélez de Guevera, *El Diablo Cojuelo*, tranco X, pragmáticas.

20 *Holas*. Actualmente hay diferencia ortográfica entre *¡hola!*, interjección, que sirve para advertir y reprender, y *ola*, agitación del agua del mar o de los ríos; en el tiempo de Estebanillo, no, y por eso en las ediciones de 1646 y 1655 se lee *olas*.

detenido y enseñádole las torres y murallas de Viena, aún no lo podía persuadir a que iba errado.

En efeto, reduciendo al caballo antes que a él, empezamos a hacer nuestra jornada. Llegué al
5 cabo de las diez y ocho a los pies de Su Alteza, el cual se holgó de verme, y mucho más cuando supo que llevaba la muñeca y puntas que había mandado traer de Flandes, y pagándome diez doblado de la costa que me habían tenido, dentro de ocho días
10 me despachó a toda diligencia, con aquel presente y despachos, a la Reina su hermana, a Varsovia, corte de Polonia.

5 *De las diez y ocho:* se sobreentiende: jornadas.

CAPITULO ONCE

[1643-1645]

En que cuenta el segundo viaje que hizo al reino de Polonia, el desafío que tuvo con un estudiante polaco, la llegada a Viena y partida a Italia, y lo que le sucedió en el camino con un capitán alemán, y los viajes que hizo a Roma y Nápoles, hasta llegar a España

Después de haber corrido muchas postas y pasado malos días y peores noches por ir siempre zangoloteándoseme cuajar y tripas, por ir el uno lleno de comida, y las otras de los mejores vinos que hallaba, sin guardar la disciplina de los correos, llegué a Polonia, y di mis pliegos y regalos a Su Majestad Real, siendo embajador sin título y grande sin señorío. Tratóme, al fin, como reina, porque siempre he hallado más afabilidad y llaneza en emperadores y reyes que no en ciertos engolletados que se bautizaron en su aldea, y se confirmaron y añadieron un don en el anchuroso dominio de Neptuno, y se endiosaron en el primer oficio que llegaron a ejercer. Todos los señores polacos, por respeto de la merced que Su Majestad me hacía, me cargaban de dádivas, y me henchían de vino y me trataban de señoría, con lo cual me hallaba más hueco que un regidor de aldea. Ayudóme bravamente el saber la lengua latina, porque de otro modo hubiera sido imposible entender una palabra, por la gran oscuridad de su lenguaje y 5 porque ellos no saben de la nuestra sino el dar señoría a uso de Italia, por haber en aquellos países muchos mercadantes italianos.

Partieron Sus Majestades a su gran ducado de Lituania, adonde por antiguos fueros tienen obli- 10 gación de asistir, en él un año, y dos en Polonia. Es este Estado un país muy friísimo y de muchos y muy grandes y espesos bosques, particularmente uno llamado Viala-Vexe, en el cual Su Majestad mató en sólo un día seis toros salvajes, tan fero- 15 ces, que daban horror el mirarlos, y tan barbados, que cada uno dellos podía prestar barbas a media docena de capones. En cualquiera parte que Sus Majestades hacían noche, el señor de aquel distrito les alojaba y banqueteaba al uso polaco, con tal 20 grandeza, que a mí me causaba admiración, y me parecía cosa imposible que hubiese tierra que produciese tantos regalos, ni señores que tan generosamente diesen muestras de su poder y voluntad.

---

2 *Saber la lengua latina: Vid.* pág. 63, t. I.

5-6 *Dar señoría: Vid.* pág. 193, t. I.

8 *Su gran ducado.* Lituania estaba unida a Polonia desde 1386.

13 *Viala-Vexe:* sin duda, el inmenso bosque de Bialowicz, que, según Forster (*Hist. de Polonia,* 7), tiene una extensión de 30 millas cuadradas. Existen, o existían en él, según el mismo libro, alces, o antas, y bisontes. Estos son los toros salvajes, y aquéllos las grandes bestias a que se refería Estebanillo.

Dióle a Su Majestad deseo de ir a caza de las grandes bestias que tienen virtud en la uña del pie izquierdo, y llegando a un gran bosque, en muy poco tiempo dió muerte a ocho; y entiendo que a querer darse diligencia, pudiera matar ochocien- 5 tas, por ser siglo abundante de bestias. Yo consideraba cuántas racionales hay mayores que éstas y con mayores uñas y más virtudes para sus provechos en las manos derechas, y no hay quien ande a caza dellas. Yo pienso que me preservé en esta 10 ocasión por ser bestia pequeña y andar el Rey a caza de grandes.

Marchamos desde aquel bosque a la vuelta de Groden, ciudad de Lituania, adonde por venir yo algo indispuesto de haber querido bizarrear en 15 tanta variedad de banquetes, caí malo, por cuya razón, hallándome al cabo de algunos días algo convaleciente, pedí licencia a Sus Majestades para volverme a Alemania, la cual me dieron con mucha

---

1-2 *Las grandes bestias*. Con las uñas del alce, ante, o gran bestia, se hacían sortijas, dotadas, a lo que se creía, de virtud curativa para el mal de corazón, o epilepsia (Vid. *Viaje de Turquía*, atribuído a Villalón, en *N. B. A. E.*, II,140).

Francisco de Rojas Zorrillas, *Entre bobos anda el juego*, jornada II: [una dama finge que le da el mal de corazón]. DON LUCAS. ... Tenedla esta mano vos | porque voy a mi aposento—por la uña de la gran bestia». En el inventario de los bienes de D. Diego Fernández de Córdoba, Madrid, 25-V-1599, figura: «una uña de la gran bestia». (Pérez Pastor, *Noticias y docts.*, I, 311.) Lope de Vega, *El acero de Madrid*, I, 9: [dando una sortija]. «¿Es uña de la gran bestia, | señor dotor?»

14 *Groden* es, sin duda, Grodno, ciudad de Lituania, sobre el Niemen.

18-19 *Para volverme a:* así la edic. de 1646. La de 1655: *Para volverme a la ciudad de.*

voluntad, y un pasaporte real para todo su reino y una carta de favor y recomendación para mi persona, para la Majestad Cesárea de la Emperatriz, su prima, y pliegos para el Archiduque, su hermano, honrándome para ayudar al viaje con seiscientos escudos y con dos riquísimos vestidos a lo polaco y con una carroza con dos bizarros caballos, porque caminara con más descanso y porque no me dañase el sol ni el viento, temiendo no volviese a recaer el señor Embajador, y un guía intérprete para que me convoyase hasta llegar a los confines de Alemania. Presentáronme tres señores, de los que me iban acompañando a la corte, tres caballos, como si Estebanillo fuese alguna persona de gran puesto y calidad; pero el señor que es generoso no mira el sujeto del que recibe, porque sólo se atiende al valor del que da; que el que pone excepciones, son achaques al viernes por no ayunar. Contemplándome tan poderoso y en tan alto estado, me despedí de Sus Majestades y de todos los señores y títulos de su corte, y poniéndome en camino, salí de Lituania, y atravesando todo el reino de Rusia y pasando el de Moscovia, llegué a una ciudad del reino de Polonia, llamada Craco-

5 *Para ayudar al.* Corregimos así. La edic. de 1646: *para ayuda a el.* La de 1655: *para ayuda al.* Las modernas: *para ayuda del.*

23 *Moscovia.* Nuestro protagonista salió, según hemos visto, de Grodno, sobre el Niemen, y marchando hacia Viena, llegó a Cracovia. Se comprende, pues, que atravesase alguna parte de la Rusia Occidental, pero no la Moscovia, situada más hacia el Oriente.

via, que es adonde se coronan los reyes de aquel reino y adonde hay gran comercio de mercancías y muchos mercadantes italianos, siendo todo su tráfico y trato el de la seda.

Allí tuve un desafío, de los que yo no suelo rehusar, con un estudiante polaco, sobre quién bebería más aguardiente. Yo lo aceté al mismo punto que me desafió, pero por ser de parte de noche y estar ya bien cenado y mejor bebido, lo dejé para por la mañana venidera; el cual no excusé por materia y razón de estado, pues pareciera género de cobardía huir yo de nadie la cara, viniendo con carroza y criados y caballos de respeto y con guía y faraute. Aquella noche hice provisión de esponjas y estopas, y a la mañana, quitándole a mi faraute unos grandes calcetones de paño que traía debajo de unas botas, que le pudieran servir de calzones, le metí en la una dellas todas las esponjas y estopas, en lugar de escarpín y calcetón, y como quien calafatea navíos, se las calafateé muy apretadamente. Dile la instrución de lo que había de hacer, y avisando al huésped y depositando seis doblones, que era el señalado premio del vencedor, le dije que recibiera otros tantos de mi competidor, el cual, con bacanal catadura, se nos venía acercando. Dió el depósito al patrón, el cual nos metió en una sala que nos vino a servir de palenque y estacada; diónos a cada uno un jarro de azumbre

1 *Se coronan: Vid.* pág. 134, t. II.

14 *Faraute* equivale a heraldo y mensajero. Se trata del guía intérprete aludido en la pág. 156, t. II.

y media de la mejor aguardiente que tenía, porque peleásemos con armas iguales. Sirvióme a mí de padrino mi faraute, Garci Ramírez, y al retador otro estudiante camarada suyo. Pusiéronnos una 5 mesa, y encima della dos vasos pequeños, para que empezásemos nuestra batalla, y dos pipas y un papelón de tabaco picado, y un candelero con una vela encendida, para que se entretuvieran los padrinos mientras durase la refriega. Declaróse que- 10 dar por vencedor el que diese más presto fin a su jarro: hiciéronles los jueces salva, para ver si había algún fraude en ellos; y habiéndolos dado por justos y rectos, nos partieron el sol, poniéndonos a los dos de frente en frente, y la tabla en medio, 15 que nos servía de valla; y en lugar de trompetas y de son de embestir, después de habernos henchido los vasos, empezaron a enflautar sus pipas y a resollar humaredas.

Yo y mi estudiante nos dábamos de las astas 20 bien a menudo y con lindo denuedo, y como era por la mañana y el país muy frío y en el rigor del invierno, apenas dábamos lugar a que los padrinos tuviesen tiempo de escanciarnos, porque aún no estaban llenas las ampolletas cuando ya estaban 25 vacías. Jugaba tan bien de la china mi escolástico,

---

7 *Y un candelero.* Las edics. de 1646 y 1655: *un candelero.*

25 *China:* las edics. de 1646 y 1655: *chica;* pero las de 1844 y de Michaud: *china.* Preferimos esta última lección, que puede entenderse que alude burlescamente al jarro (¿de porcelana de china?) de que se servían los contendientes. *Vid.* pág. 168, t. I, y pág. 72, t. II.

que ya reconocía yo su superioridad; y a no haberme valido de ardides, quedara el campo por suyo, por llevarme más de seis vasos de ventaja, aunque se veía ya tan fatigado del peso de la cabeza, que la reclinaba a menudo sobre la tabla, 5
y desconociendo a su compañero, se le antojaba la vela cirio pascual.

Cuando yo vi que se había llegado la ocasión de conseguir mi intento, haciéndole señas a mi compañero, se acercó hacia la vela en achaque de en- 10
cender la pipa, y en lugar de despabilarla, la dejó a buenas noches: empezóse a lamentar por la gran falta que les hacía a los dos; y el padrino contrario, haciendo del cortés, tomó la vela, y fué a encenderla. En el ínterin, viendo a mi competidor 15
que estaba amorrado sobre la mesa, como jugador trasnochado y perdidoso, dándole un baño de aguardiente a su bota, dejó el jarro con menos de medio cuartillo, quedándole agradecidas botas, estopas y esponjas del buen desayuno que les había dado. 20

Vino al punto el camarada, y tomando cada uno su pipa de tabaco, mi faraute, aun antes de dar fin a la suya, dijo que le parecía que iba muy despacio la procesión, y que los combatientes estaban bien bedidos y calientes y los padrinos, muertos de 25
frío y en ayunas, y que así quería ir a hacer que les trajesen de almorzar a costa del que perdiese.

Respondió el otro que hablaba muy bien y que

1 *Su superioridad.* Las edics. de 1646 y 1655 suprimen el *su*, por errata.

pedía razón y justicia, y que cuanto antes fuera sería mejor, porque se las pelaba de hambre. Salióse mi faraute de la sala medio chillando la bota; fué a pedirle al patrón que aderezase con mucha
5 brevedad de almorzar para dos, y en el ínter se fué a nuestro aposento y se quitó la bizma pródiga, y limpiando la bota lo mejor que pudo, se metió en ambas sus calcetones, y volvió con lindos apetitos y con un muy buen almuerzo. Cubrió el pa-
10 trón la mesa, haciendo desamorrar a mi contrario, y yo, diciendo que también quería almorzar, me levanté, y brindándole al patrón a la salud de quien lo había de pagar, levanté el jarro, y chupando gotas, por hacer detención y quitar sospechas, me
15 estuve gran rato tragando más aire que brandevín; y dando fin a lo que había quedado, empecé a publicar la vitoria y a pedir el premio della. Diéronme todos por vencedor, y entregándome el patrón los doce doblones, me senté muy despacio a
20 almorzar con los padrinos, sin que el rendido estuviese de provecho para podernos ayudar. Reconocieron lo que había dejado en el jarro, y aun apenas era un cuartillo, el cual se bebieron entre los dos, y los tres dimos fin al almuerzo. Despedí-
25 me del faraute, y después de haberle dado para guantes, proseguí mi viaje, atravesando el Hungría y regalándome con sus fuertes y sabrosos vinos.

Llegué a la corte cesárea, adonde por verme en-

15-16 *Brandevín: Vid.* pág. 165, t. I.

trar con ostentación de carroza y autoridad de criados y caballos, tuve ciertos bostezos de ponerme un don, aunque no fuera yo el primer bufón que lo ha tenido, ni me sentara mal, siendo correo imperial y real, que me llamasen don Estebanillo. Pero, 5 porque no hicieran burla de mí, como de muchos que los tienen sin tener caudal con qué sustentarlos, me empecé a santiguar, diciendo:

—¡Líbreme Dios de tan mal pensamiento!

Informáronme en Viena de cómo mi amo había 10 pasado a Italia, y que desde allí se había embarcado para España; cuya nueva sentí en extremo, por carecer de la merced que me hacía, y que por su respeto me hallaba en tanta propiedad. Fuíme a Palacio a dar a su Majestad Cesárea la carta de 15 recomendación que traía de la Reina de Polonia, la cual, después de haberla leído, me prometió favorecerme en cuanto se me ofreciera, y por ser a cuatro días de mi llegada día de año nuevo, cobré mi aguinaldo de todos los señores de aquella corte, 20 los cuales me doblaban la parada por verme gentil-

---

3-4 *No fuera yo el primer bufón, &.* Alude a D. Francesillo de Zúñiga, el famoso bufón de Carlos V. *Vid.* pág. 53, t. I, También un loco de corte, o albardán, de Fernando I de Aragón se apellidó *mosén* y fué algo escritor. (*Vid.* Manuel de Bofarull, *Tres cartas autógrafas e inéditas de Antonio Tallander, mossén Borra,* Barcelona, 1895.) En el claustro de la Catedral de Barcelona puede verse aún la lápida sepulcral de mosén Borra, con su *vera efigies.* Vid. t. II, página 39.

10-11 *Había pasado, &.* Piccolómini llegó a España hacia septiembre-octubre de 1643. (*Cartas,* V, 263 y 307.)

19 *Año nuevo.* Ya en la pág. 146, t. II, conjeturamos que se aludía a mayo de 1643: luego aquí se trata del 1.° de enero de 1644.

hombre de carroza. Pero por no hallarme con gusto cumplido, por estar ausente de mi amo, me determiné de pasar a Italia, para ir en su seguimiento; y para ponerlo en ejecución me fuí a despedir 5 de las Cesáreas Majestades, y después de haberme mandado dar una ayuda de costa y un imperial pasaporte, me honró la Emperatriz con una carta de favor para el Católico y poderoso Rey de España, su hermano y mi señor.

10 Despedíme de toda la nobleza, y haciendo almoneda de mi carroza, tomé el camino de Italia. Rogóme a la salida un capitán genízaro que lo llevase a caballo hasta Milán, pues que llevaba cuatro de vacío, que él cuidaría del que yo le entre- 15 gara. Imaginé que no me estaría mal el ir acompañado tan largo y peligroso camino, y más de un capitán, por lo cual correspondí con obras a sus palabras. Montó encima del que le pareció mejor, porque era hombre mal contentadizo y no poco pre- 20 sumido, aunque no lo cargó mucho de maleta, porque presumo que había hecho de algún escarpín de cuero la pequeña que llevaba. Era el tal señor veinticuatreno en sus comidas, y no en el paño de su capote. Y porque yo no entendiera que era modo

12 *Genízaro*, en una de sus acepciones significa el hijo de padres de diversa nación. Este capitán había de serlo, de español y alemán (*vid.* pág. 164, l. 14, t. II), y por eso al estar en tierra del Rey de España comenzó a bravear. *Vid.*: «un genízaro que lo tenía, medio español y alemán» (*Cartas*, III, 272, y nota de Gayangos, I, 141); «un genízaro, de padre español y madre napolitana» (Miguel de Castro, *Vida*, 66).

22-23 *Veinticuatreno*: *Vid.* pág. 157, t. I.

ahorrativo, me decía que le hacía mal el cenar de noche, y que era cosa muy saludable a la vida humana el dormir desembarazado el estómago; pero la noche que yo le convidaba no reparaba en humanidades ni en embarazos. 5

Pasamos toda la Stiria y el Tirol, y entramos en país de Grisones, adonde el señor capitán alemán me dijo que él era conocido por aquellos países, y que podría ser que hubiese allí señores o soldados que lo hubiesen visto en Alemania con su com- 10 pañía, y a mí con la escuadra de mis chanzas; y que así importaba a su reputación que yo pasase plaza de criado suyo, y esto con un género de gravedad y un modo de aspereza, que me dejó atemorizado, aunque sabe muy bien el cielo que estuve 15 por dejarlo a pie para que fuese hasta Milán abordonando con su jineta, si acaso la llevaba doblada en la estrechura de su maleta. Pero temiendo no se me alzara a mayores con el caballo, y a mí me diera media docena de muertos por el alquiler dél 20 (porque como se había salido con no querer sustentarlo, también se saliera con lo que se le antojara), callé y sufrí, consolándome con que mi nuevo amo comía cada día una comida muy tenue, y el señor su criado comía tres y bebía trecientas. 25 Iba siempre que caminábamos muy adelante de nosotros, teniendo a caso de menos valer el dejarse comunicar, y yo y mis criados polacos nos gloriábamos en irle siempre cortando de vestir, porque obligará un figurón destos a que mormure dél 30 el más capuchino; porque no hay ley ni razón que

obligue a ser grave a quien ha menester servir y agradar para no morirse de hambre. Pero hoy todo el mundo está lleno de bartolomicos; pues hay criados de señores que apenas se hartan de lamer
5 los platos, y por verse con esperanzas de rico o con una gala perdurable, tienen más toldo que no sus amos y más humos que Alcorcón.

Llegamos a Chavena, adonde me embarqué yo y mis caballos y mis criados, y en vanguardia el ca-
10 pitán, mi señor; el cual, como me vió que iba algo rostrituerto, y él se halló en tierra del Rey de España, me empezó a echar rodamontadas, como si fuera extraña para mí, siendo medio gallego, y patria para él, siendo medio alemán. Convidéle a
15 cenar en Coma, disimulando el enojo, con intención de pegársela en Milán y porque no se despartiese de mí hasta llegar a él; y sin reparar en

---

3 *Bartolomicos:* los colegiales del Colegio de San Bartolomé, de la Universidad de Salamanca. Decíase que España estaba gobernada por antiguos alumnos de ese colegio. (Vicente de Lafuente, *Hist. ecles. de Esp.*, V, 34.) «Los mancebos deste tiempo | no saben qué cosa es fe, | todos son bartolomicos, | no hay ningún Bartolomé.» (*Romancero general* de 1614, parte XII, folio 419, romance «En aquel tiempo dorado».)

5 *De rico:* así las edics. modernas. Las de 1646 y 1655: *de río.*

7 *Alcorcón:* *Vid.* pág. 249, t. I.

12 *Rodamontadas* (ital., *rodomontata;* franc., *rodomontade*), bravata de Rodomonte, uno de los personajes del *Orlando furioso*, de Ariosto, y, por extensión, baladronada, palabra arrogante. Se aplicada frecuentemente a las arrogancias descomedidas de los españoles: recuérdense las *Rodomontades espaignolles*, que escribió Brantôme.

15 *Coma* es, sin duda, *Como*, a orillas del lago de su nombre. Así las edics. de 1646 y 1655. Las modernas, *en colmo.*

digestiones de estómago, comió como leproso, y bebió como hidrópico.

Otro día, cumpliéndose lo que yo tanto deseaba, entramos en aquella rica y nombrada ciudad de Milán, adonde elegimos por posada la del Falcón. 5 Díjele al capitán, la noche que llegamos a ella, que pagase la comida de su caballo, pues demás de haber venido en él de balde, le había yo hecho la costa todo el camino, habiéndome ofrecido a la salida de Viena muy diferente de lo que me había 10 cumplido. Respondióme que no solamente no quería, pero que ni aun le pasaba por la imaginación; que la pagase yo, pues ganaba el dinero a decir gracias, que el suyo era ganado a mosquetazos, y que harta merced y honra me había hecho en traer- 15 me en su compañía y de admitirme en nombre de criado suyo.

Yo, quitándome de ruidos, como enemigo que soy dellos, me retiré a reposar muy despacio, y venida la mañana me fuí a ver a Su Excelencia el 20 Marqués de Velada, que era gobernador de aquel Estado, al cual me quejé muy en forma de lo que había usado conmigo el espetado capitán y genízaro grave; con que se alegró mucho, por oír el modo con que se lo pinté. Y como señor tan dis- 25 creto y entendido, después de satisfacerme con premio la relación, no quiso que nadie se quejase

---

21 *El marqués de Velada*, tercero de este título, D. Antonio Sancho Dávila Toledo Colonna, gobernador de Milán desde el 29 de junio de 1643 hasta el 24 de febrero de 1646. (Cappelli, *Cronología; Cartas*, V, 201, VII, 601, 602.)

de su justicia, y así me remitió al Auditor general, a quien habiéndole yo informado de la mucha que tenía, y que mi capitán Holofernes eran sus bienes castrenses, movibles y no raíces, y su persona portátil, le envió media docena de ministros audiencieros a que lo hiciesen parecer a juicio o le arrestasen en la misma posada, estando todos a su costa y pensión en guardia de su persona.

Llegué, haciendo el oficio de Judas, con los tres pares de alfileres con alma a la posada, y lo hallé lavándose las manos, siendo Pilatos los que venían por él, y él [el] que había de ser sentenciado. Notificáronle el auto, que fué para su gusto peor que de Inquisición, y mirándome muy despacio con sus genízaros ojos y dándome el vos que dan los señores, me dijo que no dijese mal del día hasta que fuese pasado, porque aun había sol en Peral. En efeto, no pude decir mal del presente, porque fuí satisfecho antes de ponerse. Dióme por vía de acuerdo veinte escudos, y echóme por vía de ronca mil amenazas. Vendí los cinco caballos en cien do-

---

7 *Arrestasen:* así la edic. de 1646. La de 1655: *arrastrasen.*

10 *Alfileres con alma:* los corchetes o alguaciles.

15 *Genízaros: Vid.* pág. 162, t. II.

15-16 *Dándome el vos que dan los señores.* Como dice Lucas Gracián Dantisco (*Galateo español,* Barcelona, 1796, 62), «quien llamase de vos a otro, no siendo muy más calificado, le menosprecia y hace ultraje en nombrarle, pues se sabe que con semejantes palabras llaman a los peones y trabajadores».

Recuérdese también a Lope de Vega en la *Epístola al doctor Angulo:* «el vos con la ración adjetivado | súfralo un turco...»

blas, con que acrecenté el caudal y aligeré de costa; despedí los criados, porque sólo los ha de tener quien tiene renta segura para sustentarlos, que para matarlos de hambre y traerlos desnudos, cualquiera se los tendrá. 5

Viéndome libre del capitán Faraón y de siete bocas polacas, que eran para mí las del Nilo en lo rápidas y borrascosas, me salí a espaciar y a dar una vista a la ciudad y a dejarme ver. Y como iba hecho a lo de Bruselas y Viena, que todos me 10 hablaban y todos me conocían, y en todas partes entraba y en las más dellas tenía provechos, extrañé el nuevo paseo, porque todos me miraban y nadie me hablaba, y en el poco tiempo que me detuve en aquella ciudad, si daba, lo recibían con 15 buen humor, y si pedía, me daban esperanzas con buenas palabras; y así por las vísperas saqué los disantos, echando de ver que no era mercancía la mía al uso de aquel estado, pues solos dos señores compraron y gustaron della, que fué don Fadrique 20 Enríquez, gobernador del castillo de aquella ciu-

---

6-7 *Las siete bocas polacas* que le parecían a Estebanillo más voraces y correntosas que las del Nilo eran las de sus criados y las de los cinco caballos que le habían regalado en Polonia (*vid.* pág. 156, t. II).

15-16 *Con buen humor*, según las edics. modernas. Las de 1646 y 1655 traen *amor*, en vez de *humor*.

18 *Los disantos*, según la edic. de 1646. La de 1655: *los días santos*, y las modernas: *los difuntos*. *Disanto* (contracción de *día santo*), por día festivo, era palabra muy usada por entonces.

20-21 *Don Fadrique Enríquez*, está mencionado repetidamente, como gobernador del castillo de Milán en las *Cartas*, II, 81, 216, 227; IV, 21, 48, 126; y VI, 486.

dad, y don Vicente de Gonzaga, general de la caballería. Estos fueron los dos peregrinos en esta Jerusalén; pero más vale pocos y buenos, pues cada uno dellos me dió muchas doblas.

5 Supe que mi amo no volvía a Italia, y que me aseguraban que se había de embarcar para Flandes, y viéndome sin amigos ni conocidos, ni tener parte donde divertirme ni entretenerme, di en hacer visitas a costa de mi dinero, y a darme a cono-
10 cer a peso de mi caudal, y a cebarme en el juego en destruición de mi bolsa, y sobre todo, en tener amigos que solicitaban mi perdición. Y para concluir con mi suceso, digo que en solos dos meses que jugué como poderoso, que desperdicié como pródi-
15 go, que gasté como heredero de padre miserable, me quedé como en Viena cuando me obligó otro tal disparate como el presente a ir por la posta a la corte del Archiduque Leopoldo. Y porque en todo imitara este trance al otro, me despedí del Mar-
20 qués de Velada, de quien tuve, demás del pasaporte, con qué poder pasar el camino.

Salí a boca de noche de la ciudad como gran señor o como mercadante de banco roto; metíme en la carroza que iba a Florencia, adonde nos halla-
25 mos una mezcla de todas yerbas, así de oficios como de naciones; porque iba en ella un judío de Venecia, un esmarchazo milanés, que salía a cumplir

---

1 *Don Vicente de Gonzaga* está mencionado en las *Cartas*, II, 163; VI, 470, 486. Vino a Madrid, siendo general de la caballería de Milán, en 1647.

27 *Esmarchazo: Vid.* pág. 219, t. I, y pág. 187, t. II.

diez años de destierro; una dama siciliana, que por ser antigua en aquella milicia iba a ser bisoña en la de Liorna; un fraile catalán, que iba a Roma a absolverse de ciertas culpas, y un peregrino saboyardo, que iba a confesar algunos pecados reser- 5 vados a Su Santidad.

Llegamos a Bolonia la Grasa, adonde nos detuvimos dos días, por ver el gran concurso de gente que se había juntado a ver efetuar las paces y publicarlas entre los Príncipes de Italia. Al tercer 10 día caminamos por las montañas de aquella ciudad, y en sus confines tuve en una posada una pendencia muy reñida de voces, y muy quieta de manos, por causa de ser el huésped tan alentado como yo. Fué la causa el pedirme la cantidad de 15 seis bocales de vino de sólo una comida: cosa tan fuera de la medida de mi barriga y de la quietud de mi cabeza, que me hacía patear ver tan manifiesto robo. Porque, aunque es verdad que se han visto mis tripas con muchas mayores sumas, no 20 ha sido quedando ellas secas, como de presente estaban, ni en la tranquila bonanza en que se hallaban, ni mi cabeza tan libre de vapores, ni el juicio de lúcidos intervalos, ni la lengua tan escasa de pelos y borrones. Mas, en efeto, vino a 25 valer más su mentira, por estar en su tierra, que

---

7 *Bolonia la grasa: Vid.* pág. 117, t. I.

9 *Las paces.* En 31 de marzo de 1644 los representantes del Papa, del Gran Duque de Toscana, de la república de Venecia y de los Duques de Módena y Parma, firmaron en Bolonia un tratado de paz (Caggese, *Firenze dalla decadenza di Roma, &c*, III, Florencia, sin año, pág. 231).

mi verdad, por estar en el ajena, quedándome al cabo de todo yo con mis voces y él con mis dineros; porque todos países que son de confines, como este lo es, de diversidad de potentados, son los patrones de sus hosterías últimos fines de la sangre y sudor de los pobres pasajeros.

Llegamos a Florencia, que con justo título empieza su nombre en flor, por ser breve jazmín de las ciudades de Italia y nueva maravilla de la Europa y antigua admiración del mundo. Cuando vi tan espaciosas calles empedradas de losas catedrales, los desperdicios de sobras de bastimentos en la llanura de sus insignes plazas, lo abastecida de carne y caza, la sobra de fruta y flores, y lo colmada de agua de olores y de vinos odoríferos, me quedé suspenso, imaginando que es poco curioso el que puede y tiene con qué ver esta ciudad, y lo deja por negligencia, y que no puede decir que ha tenido regalo cumplido quien no ha estado algún tiempo en ella. Y como cada uno se inclina a lo que más apetece, yo me aficioné de tal suerte a sus vinos, que aún hoy lloro el no poder gozar de su admirable y substancial verdea.

Parecióme que quien había visto esta ciudad ni le faltaba más que ver, ni que había más que desear. Hice alto en ella, eligiéndola por mi corte,

---

3 *De confines.* Bolonia pertenecía entonces a los Estados del Papa, pero estaba muy próxima a los confines de Venecia, de Mantua y de Módena, y no muy distante de los de Parma y Milán.

23 *Verdea:* especie de vino que se produce en Florencia.

hasta tanto que supiese nuevas ciertas de mi amo. Y por curarme en salud, antes que me apretase la hambre, cosa jamás conocida en los que son pláticos en mi oficio, fuí a visitar al Príncipe Matías, hermano de Su Alteza de Toscana, ante cuya grandeza fuí bien venido, quedando Su Alteza alegre, y yo contento, por haberme conocido en Alemania cuando hice el oficio de sacamuelas. Sin reparar en mi humilde sujeto, no pareciendo a los caballeros gorrones atrás referidos, sino a los príncipes de su valor y calidad, me introdujo con Su Alteza el Gran Duque, su hermano; y después de haberle dado parte de las buenas que yo tenía y de las virtudes y propiedades que en mí concurrían, me alcanzó licencia para poderlo entrar a ver y hablar todas las veces que estuviese en la tabla. Pero después, habiendo gozado de mi bureo, y conocido mi buen humor y habiendo sido informado de un sobrino de mi amo, llamado don Francisco Picolómini, gentilhombre de la cámara de Su Majestad Cesárea y caballero del hábito de Santiago y capitán de su guardia alemana, de cómo había servido a Su Alteza Serenísima el Infante-Cardenal y la gran entrada que había tenido con Sus Majestades Cesáreas y con el Rey de Polonia, me dió libre facultad para que lo entrase a ver a todas horas,

4 *El príncipe Matías: Vid.* pág. 65, t. II.
16 *Tabla: Vid.* pág. 101, t. I.
19-20 *El conde Don Francisco Piccolómini* de Aragón y Adinari, natural de Florencia, que se cruzó como caballero de Santiago en 1637. (Vignau y Uhagón, *Indice de pruebas*, 274.)

y mandó que se me diesen cuatrocientos escudos y todo aquello que necesitase para el sustento y adorno de mi persona, todo el tiempo que yo gustase de servirle.

5 Habiendo gozado algunos días de tan lucido tratamiento, me envió su hermano el Príncipe-Cardenal Carlos de Médicis, generalísimo de la mar, con un despacho de cartas a Liorna, adonde de presente se hallaba la Marquesa de los Vélez 10 aguardando orden y buenos temporales para embarcarse sobre cuatro galeras de Su Alteza de Toscana, para pasar con ellas a Sicilia, adonde estaba el Marqués de los Vélez, su marido, por virrey de aquel reino. Llegué a Liorna, y en virtud de los 15 despachos que llevaba, salieron aquel mismo día las cuatro galeras con muy próspero viento, en las cuales me embarqué, por orden que traía de Su Alteza de ir entreteniendo a la Marquesa hasta la ciudad de Nápoles. Llegamos a Puzol, cuatro millas

---

6-7 *El príncipe cardenal Carlos de Médicis.* Hubo por entonces dos cardenales Médicis: Carlos (n. 1595 o 1596; cardenal en 1615, m. 1666), hijo de Fernando I de Toscana; y Juan Carlos (n. 1611; cardenal desde 14 de noviembre de 1644, m. 1663), hijo de Cosme II. Es a este último —que sirvió a Felipe IV de España como *Príncipe de la mar* después de Emmanuel Filiberto, † 1624 (*vid.* pág. 78, t. I), y antes del segundo D. Juan de Austria— a quien se refiere Estebanillo, que debió escribir «Juan Carlos» y no «Carlos».

Véase: Garma, *Theatro universal*, III, 406; Ceccaroni, *Diz. Eccles.*, 826; Garollo, *Diz. Biogr.*

Nótese que la acción transcurre unos meses antes de que el Príncipe fuese nombrado cardenal.

10 *Temporales.* Vid., t. I, pág. 98.

13 *El marqués de los Vélez* fué virrey de Sicilia desde 1644 a 1647 (Cappelli, *Cronología*.)

de la dicha ciudad, adonde Su Excelencia el Almirante de Castilla, que era virrey de aquel reino, la salió a recibir y a ofrecerle su palacio y hacienda, suplicándole saltase en tierra para poderla servir y regalar. Y excusándose la Marquesa, por tener 5 la mar en calma y el viento favorable, se despidieron los dos; y yo, por parecer persona de importancia, hice lo mismo, regalándome Su Excelencia, por haberla acompañado desde Liorna, con cien escudos de oro. 10

Acogíme a mi nuevo retiro de Nápoles, al cual hallé tan fértil y poderoso como lo había dejado; pero todos los amigos y conocidos y paraderos tan trocados, que me causó admiración y asombro. Fuí a visitar la taberna principal del Cho- 15 rrillo, y halléla tan diferente y tan en bajo estado, que llegué a dudar si era aquella la misma que ser solía. Fuíme al cuartel de los españoles, el cual hallé tan desierto, que parecía sombra de aquello que había sido. Supe en él cómo todos mis camara- 20 das, que se sustentaban de ser desfacedores de tuertos y agravios de damas de alta guisa, de hacedores de paces y alborotadores de pendencias, estaban unos muertos en desafíos, otros huídos, y otros en galeras y otros ahorcados. Fuíme a entretener con 25 las damas, adonde acabé de ver la mayor mu-

---

1-2 *El Almirante de Castilla*, D. Juan Alonso Enríquez de Cabrera, quinto duque de Medina de Ríoseco, fué virrey de Nápoles desde 1644 a 1646, y murió en 1647. (Cappelli, *Cronología*, 332; Garma, *Theatro universal*, III, 403.)
15-16 *El Chorrillo: Vid.* pág. 155, t. I.

danza que pueden contar las historias pasadas, porque las que dejé bisoñas estaban ya jubiladas, las que eran mozas y ollas las hallé viejas y coberteras, las que había dejado en el amago de la se-
5 nectud las hallé pasando plaza de hechiceras y brujas, y primera, segunda y tercer vez subidas en azotea, y residentes en Corózain. Consideré cuán breve flor es la hermosura y con cuánta velocidad se pasa la juventud y cuán a la sorda se acerca la
10 muerte y qué de mudanzas hay de un día para otro; por lo cual no me espanté de hallar, en el tiempo de doce años que había que faltaba de aquella ciudad, tanta variedad de mudanzas y tanta diversidad de acaecimientos, y más en gente
15 que vive muy de priesa y ellos mismos como la mariposa solicitan su fin.

Hallándome tan solo adonde pensé andar muy acompañado de tantos amigos y camaradas viejas que había dejado, empecéme a pasear y gastar con-
20 migo lo que había de gastar con ellos. Buscaba la mejor fruta, solicitaba la mejor caza, gastaba los mejores vinos y ordenaba en mi posada que estuviese la nieve siempre sobrada. Y teniendo noticia

6 *Primera, &.* Por tres veces expuestas a la vergüenza en el tablado de la plaza pública, con la *coroza* infamante en la cabeza.

7 *Corózain*, cuyo nombre se emplea equívocamente, fué ciudad de Judea, anatematizada por Nuestro Señor (San Mateo, XI, 21.)

12 *Doce años.* Dice Estebanillo que faltaba doce años de Nápoles, y efectivamente había estado en dicha ciudad hacia mediados de 1632 (*vid.* pág. 222, t. I), lo que concuerda con la fecha (mediados de 1644; *vid.* pág. 175, t. II) en que transcurre la acción.

que se embarcaba para España el Duque de Medina de las Torres, virrey que había sido de aquel reino, me fuí al muelle y me embarqué en su misma galera; el cual, por la nueva conociencia, me hizo una burla, aunque ligera al parecer, muy pesada para mis costillas, pues no siendo yo nada liviano, hizo pasarme por toda la galera en el aire, de mano en mano, como si fuera mi cuerpo un saco de paja, dándome después, para que se me apaciguara el susto del paloteado, una docena de doblas.

Tuvimos antes de llegar a Gaeta una razonable borrasca, y después de haberla pasado, llegamos a dar fondo en el ancho y espacioso muelle de Liorna. Despedíme del Duque, y saltando en tierra, tomé la posta para Florencia, adonde di parte a Su Alteza de toda la jornada y sucesos della. Estuve allí muchos días, teniéndolos todos buenos, y no pasando ninguno malo; pero como tenía voluntad de ir a España a buscar a mi amo, por parecer criado de ley, estaba con algún género de disgusto; y así me determiné de pedir licencia a Su Alteza,

---

1-2 *El duque de Medina de las Torres.* Don Ramiro Felipe de Guzmán, segundo marqués de Toral y de Liche, o Eliche, duque de Medina de las Torres, yerno del Conde-Duque de Olivares. Un penetrante retrato de él en *Carlos II y su corte*, por D. Gabriel Maura y Gamazo, t. I. Debió de salir de Nápoles hacia agosto de 1644, pues el 10 de septiembre de ese año se avisaba desde Madrid su llegada a Denia. (*Cartas*, V, 497.)

4 *Conociencia: Vid.* pág. 156, t. I.

7 *Pasarme por toda la galera en el aire.* Era burla muy común para divertir, a costa de bobos o bufones, a los visitantes de las galeras. Recuérdese una aventura parecida de Sancho. (*Quijote*, parte II, cap. LXIII.)

el cual me la dió y un razonable donativo con ella. Y después de haber hecho lo mismo con los Príncipes sus hermanos, y recibido ofrendas como de tales manos, tomé el camino de Roma, para saber antes de partir a España en el estado que estaban mis hermanas, por haber infinidad de tiempo que no había tenido nuevas de ellas, que aunque es verdad que por mis grandes travesuras no me habían hecho ninguna amistad, al fin eran mi sangre y a quien deseaba todo bien. Al pasar por Siena, fuí a visitar al Arzobispo de ella, hermano del Duque de Amalfi, mi señor, el cual, habiéndose enterado de toda la peregrinación de mi viaje y de los buenos servicios que había hecho y cuán importante era mi persona para la república de los palacios, mandó que me diesen, después de haberme regalado, cincuenta escudos y cartas de favor para la ciudad de Nápoles. Agradecíle la merced, y proseguí mi camino.

Llegué a aquella cabeza de la cristiandad, a quien siempre he tenido en lugar de patria, por haberme criado en ella; me fuí derecho a mi casa, la cual hallé en poder de segundo poseedor. Pregunté en ella a qué parte se habían mudado mis hermanas;

---

11 *El cardenal Ascanio Piccolómini*, hermano del amo de Estebanillo, primeramente arzobispo de Rodas, gobernó la arquidiócesis de Siena desde 1628 a 1671. Protector de Galileo, a quien amparó cuando fué perseguido hacia 1633, así como también escritor. (*Avvertimenti civili estratti da Tacito*, 1609.) Véase Ceccaroni, *Diz. Eccl.*, columna 1158, y D'Ancona y Bacci, *Manuale della Lett. Ital.*, III, 321.

La acción transcurre hacia 1644. Véase asimismo página 183, t. II.

y me respondieron que de esta vida a la otra. Sentí sus muertes como hermano, porque sólo iba a verlas para hacerlas obras de tal, arrepentido de los disgustos que las había dado. Hice pesquisa para ver si me habían dejado por heredero, y supe que se habían casado y dejado hijos, con que me encomendé a la paciencia, y ahorré de lutos.

Fuíme una mañana paseando a ver el cardenal Matei, por haberlo conocido en la corte imperial estando por nuncio apostólico, en quien tuve un buen amparo y buena estrena. Hizo lo mismo conmigo el Marqués Matei, general de las armadas de Su Santidad, a quien yo había comunicado y recibido merced en los Estados de Flandes, estando por coronel de la armada imperial, como atrás he referido. Fuíle aquella misma mañana acompañando a un jardín que tiene, extramuros de Roma, llamado la Navicella, que demás de ser en hermosura un prodigio de naturaleza, es de los más nombrados de la Europa, adonde excediendo la grandeza del dueño con la belleza de aquel palacio de Flora y alcázar de Amaltea, dió un banquete, que si no excedió a los que hicieron los emperadores de aquella corte, por lo menos pudo merecer

8-9 *Gaspar Mattei* nació en 1587, fué nuncio en Viena y dejó ese cargo cuando Urbano VIII le concedió la púrpura cardenalicia (1643). Murió en 1650. (Ceccaroni, *Diz. eccles.*, 820.)

11 *Estrena:* regalo en señal, en este caso, de bienvenida.

18 *La Navicella.* La *villa* que aún lleva el nombre de Mattei.

nombre de competidor, y por lo más eternizar la fama de tan generoso señor.

Y como el Marqués tenía criados de todas naciones, conducidos de Flandes y de Alemania, y de su natural no son ranas, sino mosquitos, y aquel día todo anduvo sobrado, cargaron de tal manera con los demás criados de los convidados, que transformados en leones, se daban batallas campales unos con otros, sin atreverse nadie a meterlos en paz, por conocer de la suerte que estaban. Y habiendo yo salido harto más cargado que todos ellos, y más valiente que un gato viéndose apretado, sin recelar peligro, metí mano a la espada, y me puse en medio dellos, sin saber a qué ni para qué, tirando a diestro y a siniestro golpes, que los dejaba aturdidos; pero haciéndose todos una gavilla contra mí, sin respetarme por lobo mayor, me dió uno tal revés en blanco, por ser llano, que me hizo echar por la boca todo un tajo de tinto. Púsose toda la gente lacayuna en huída, pensando que me dejaban muerto; y yo creo que estaba en vísperas dello. Empecé a grandes voces a pedir confesión; acertó a hallarse allí un dotor de medicina, y llegándose a tomarme el pulso, viendo su grande alteración y las bascas y trasudores y agonías que pasaba, sin informarse de la causa de mi accidente, mandó al jardinero que hiciese diligencia de buscar quien me confesara, porque tenía muy pocas horas de vida. El buen hombre,

4-5 *De su natural, &:* más aficionados al vino que al agua.
17 *Lobo: Vid.* pág. 18, t. II.

porque no muriera como un alarbe, estando en tierra cristiana, me trajo a grande priesa al capellán del Marqués, el cual así que vió el penitente se empezó a reír, por haberle dicho que un doctor me había desahuciado, y queriendo ver la herida de que decían que procedía mi mal, me quitó el sombrero, y halló limpia la cabeza de sangre, y sin más mácula que un pequeño burujón, causado del cintarazo que me habían dado. Preguntó a los que se habían hallado presentes a la pendencia que si tenía más heridas que aquella; y habiéndole dicho que no, le dijo al jardinero:

—Si todas las veces que a este hombre le da este mal le hubiesen de confesar, fuera necesario que siempre llevase consigo un capellán; su enfermedad necesita de sueño; y así, hágalo retirar a un aposento, que yo salgo por fiador de su vida; y dígale al médico que lo desahució que esta dolencia, como es de herida y mordedura, compete a la cirugía, y que así no me espanto que haya errado, porque de acertar, anduviera contra el estilo de su profesión.

Fuése a dar cuenta del suceso a todos aquellos señores, y el jardinero me metió en una sala baja, adonde me hallé a la mañana fuera de peligro y libre de todo mal. Despedíme del jardinero, agradeciéndole la amistad que me había hecho en haber sido mi enfermero, y volviéndome a Roma, me

---

7-8 *De sangre, y sin más,* en la edic. de 1646. La de 1655 suprime el *y*.

avisaron unos conocidos antiguos de cómo un barrachel había tenido noticia de mi llegada a aquella corte, y que andaba en mi seguimiento para prenderme por travesuras pasadas. Y por no verme
5 en poder de justicia ni pagar pecados viejos, me fuí a Ripa-Grande, y me embarqué en una faluca napolitana que hallé de partida, sin tener lugar de meter ninguna cosa de regalo para la embarcación.

10 Salimos del Tíber, con algún poco de trabajo al desembocar en la playa; pero hechos al mar, ayudados de un viento fresco, tuvimos un próspero viaje. Había embarcado un gentilhombre romano, que iba en la dicha faluca, un medio tonel
15 de vino, que por ser *amábile* o angelical, lo llevaba de presente a un amigo suyo napolitano; y tanto lo alabó y encareció un día, que me despertó la voluntad y me dió gana de beberlo a la noche; y aprovechándome de mis ardides y trazas, llegando
20 por la oscuridad de la presente a una cala, me arrimé al dicho tonel, y fingiendo quedarme allí a dormir, me senté sobre un banco, y cuando eché de ver que todos estaban reposando, quitando el tapadero que llevaba a la parte de arriba con un
25 reforzado cuchillo, y haciendo caballera a una pipa que llevaba para tomar tabaco en humo (pues sin ser verdugo le quité la cabeza de los hombros) me

---

1-2 *Barrachel. Vid.* pág. 219, t. I.

15 *Vino, que por ser amabile:* así la edic. de 1646. La de 1655, *amable.*

20 *Cala* en la edic. de 1646. *Casa* en la de 1655.

puse sobre la mía el ferreruelo, porque si alguno despertara no me cogiera con el hurto en las manos, teniendo con ella cubierto el rostro y tonel, y metiendo la pipa entre los cristales de aquel néctar suavísimo, empecé a chiflar de tal suerte, que no sentí la frialdad del mar ni el rocío de la mañana.

Con este alivio de tripas llegué a Nápoles, habiendo tenido siempre cuidado de volverlo a tapar bien, y de haberle hecho tales salvas, que a haber hallado ingenio con que poder alargar o añadir la pipa del tabaco, hubiera llegado vacío, aunque si va a decir verdad, no llegó muy lleno. Desembarquéme en el Molo Pícolo, adonde hallé que estaban veinte y cinco bajeles para hacer viaje a España a llevar gente de guerra, levantada en aquel reino, de lo cual me holgué en extremo, por llevar en ellos asegurada mi persona y muebles. Embosquéme en aquel jardín de Italia y en aquel abreviado globo, gastando el tiempo que me detuve en él, hasta partir el armada, en oír comedias españolas y italianas, que son pasto del cuerpo y recreación del alma. Entreteníame en ver en el largo del castillo la variedad de montambancos y charlatanes, la poca venta de sus badulaques y la gran multi-

---

14 El *Molo Picolo* (muelle pequeño o chico), que aún conserva ese nombre.

14-15 *Hallé que estaban, &*. Sobre esta expedición *vid.* página 195, t. II.

21 *Comedias españolas*. Sobre las representaciones españolas en Nápoles véase Benedetto Croce, *I teatri di Napoli*, págs. 77-78. *Vid.* pág. 120, t. I.

24 *Montambancos: Vid.* pág. 181, t. I.

tud de sus arengadas prosas y oyentes noveleros.

A este tiempo se hicieron las honras por la muerte de la Reina Nuestra Señora; y, en feudo de vasallaje, puse este fúnebre epitafio en su real túmulo:

Este de lutos piélago eminente,
este de gradas Etna relevante,
este de luces Febo refulgente,
este de rayos Júpiter tonante,
este de llamas un Faetón ardiente,
este de fuegos Icaro arrogante.
este de olores celestial consuelo,
este de voces querubín del cielo,

es túmulo real de una Belona,
es pira imperïal de una hermosura,
es sepulcro feliz de una leona,
es urna angelical de una luz pura,
es triunfo de Isabel, de una amazona,
tan santa reina y celestial criatura,
que dejando en Madrid reliquias bellas,
al cielo se partió a pisar estrellas.

Iba de cuando en cuando a ver a Su Excelencia el Almirante de Castilla, el cual me mandaba dar cien reales cada vez, como visita de doctor de Cámara Real. Favorecíame también el Conde de Celano y el Príncipe de Vifinaro, por respeto del

3-4 *Muerte.* La reina Isabel de Borbón falleció el 6 de octubre de 1644. (Lafuente, *Historia de España,* XII, 8.)
7 *Relevante: Vid.* págs. 88, t. I, y 70, t. II.
20-21 *Que dejando, &.* Acaso hay en estos dos versos una reminiscencia de los dos finales de la canción *A las ruinas de Itálica,* de Rodrigo Caro.

Arzobispo de Siena y de don Tiberio Carrafa. Di en tener mis devociones cotidianas y en visitar todas las estaciones de lo caro, por probar de todo y dar con lo que tenía en el lodo. Gastaba tan largo, que algunos que me conocían y otros que sin conocerme se me habían pegado, pensaban que habían muerto mis hermanas sin herederos y que venía de heredarlas; que también tienen sus pegatostes los gentileshombres de la bufa, como los generales y sus tenientes.

Pasó de tal suerte la fama de mi ostentación y gasto, que se enamoró de mí, de solamente oídas, una cortesana recién venida, de razonable cara, pocos años y menos galas, que con esto se echará de ver de la suerte que anda el mundo, la cual me dijo, llegándola a ver, que se había inclinado a mi persona, y no a mi dinero. Y aunque me pareció milagro en mujer de tal porte, me persuadí tanto cuanto a que podía ser verdad; porque tiene tanta fuerza y virtud la fama del generoso, que demás de ser imán de sus potencias y sentidos, se lleva tras sí las gentes, piedras, animales y plantas, como el músico de Tracia. Y de justa ley y razón se les había de llevar tras sí el que es miserable; a las gentes para escarnecerle, las piedras para apedrearlo, las fieras para que lo despedazasen y las plantas para hacerlo chicharrón.

Yo, escarmentado del trato de tales damas, y no

---

1 *El arzobispo de Siena. Vid.* pág. 176, t. II.

2 *Y en visitar.* Corregimos así la lección *(y de visitar)* que figura en las edics. de 1646 y 1655.

en cabeza ajena, sino en la mía propia, me quise excusar, por estimar más morir gustando vinos de tabernas que vivir probando acíbares de celos; pero al fin no me pude resistir, porque me convir-
5 tió, siendo pecadora, con decirme que no quería de mí otra cosa más de que comiese y callase y que sirviese de mozo de ciego en adestrar boquimuelles y en encaminarle contribuyentes. Yo, por probar si aquella mujer era de otra masa que las
10 demás de su profesión, pues no trataba de pelarme, sabiendo que tenía copia de plumas, aceté la conveniencia con todos los pactos y capitulaciones que me pedía, y desde aquel mismo día me iba a las casas de conversación, y en tratando en materia
15 de damas, aseguraba que no había otra como la referida, ni de mejores partes ni de mayor aseo, ni de más buena conversación; y de tal manera la alababa, que provocaba a muchos de los oyentes a pedirme que los llevase a su casa, o a irse ellos so-
20 los, por no dar a entender su pasión; y con lo que más los incitaba era con decir que no era cosa mía, sino que la había oído alabar a todos los señores adonde yo tenía entrada, y que había ido con algunos dellos a visitarla, y me constaba le
25 habían dado muchas dádivas y regalos, y que había más de dos muy picados.

Con esta flor, en tiempo de dos meses llegó a

---

14 *Casas de conversación* se llamaba, por eufemismo, a las de juego (*vid.* pág. 227, t. II).

14 *Y en tratando:* así la edic. de 1646. La de 1655, *y entrando*

estar tan bien puesta y se halló tan pretendida y festejada, que no mirando que la hallé en paños humildes y que la había adquirido galas, porque aun para ser una mujer mala ha menester caudal, para que pareciese lo que yo publicaba, y que me debía el verse en tanta altura, por los testimonios que le había levantado, me dijo una tarde que me recatase de entrar en su casa, y que si me pudiera excusar de no entrar en ella, lo tendría a favor, porque una enemiga suya, habiendo aquel día tenido una pendencia con ella, le había llamado de bufona, y que si sus galanes lo llegasen a entender, corríamos los dos muy gran peligro, y ella perdería mucha reputación. Yo, no pudiendo llevar en paciencia tantos puteriones y desagradecimientos, alcé la mano y dile un par de tamboriladas, que no se las dió mejores el obispo que la confirmó, y haciendo del rufián, le dije:

—Dile a tus bravos que me las vengan a pedir, que Estebanillo González me llamo por mar y tierra, medio gallego y medio romano.

Y echando estas y otras roncas, me salí a la calle empuñando la espada y calando el sombrero; y ella disimulando, por no publicar su agravio, me dijo que aunque se echara con un negro con una jeta de un jeme, me había de hacer cortar la cara. Y aunque le di a entender no hacer caso de toda una armada, fué tanto el miedo que concebí, que cada instante me atentaba el rostro, por ver si lo

---

22 *Roncas: Vid.* pág. 47, t. II.

tenía rebanado, y a cada paso lo volvía atrás para mirar si venía algún galán suyo en mi seguimiento o si salía la criada a tomar la demanda; que pienso que según yo iba y según mis bríos, bastara 5 ella a dejarla vengada. Y desde entonces, en viendo un negro, me aparto media legua dél, porque temo no venga de su parte a cumplir el favor que me prometió.

Fuí hecho una basura de temor a buscar un par 10 de valientes de los de fama, de quien poderme amparar; y hallé dos que me dejaron sin ella, porque quien no tiene dinero ¿qué fama puede tener? Estos tales, por dos desventuradas bofetadas que había dado, le dieron más de docientos venturosos 15 bofetones a mi bolsa. Declaréles todo el suceso, y ellos, encareciendo el atrevimiento y exagerando el riesgo, me llevaron a hacer consulta del remedio a la audiencia de una taberna, y después de haber hojeado los Bártulos de media docena de platos 20 y los Baldos de una docena de garrafas, me pidieron cuatro de a ocho para gastar en espías y informarse con todo secreto de la agraviada y de su sirvienta, si se había querellado a algún galán

---

10 *Valientes de quien: Vid.* pág. 79, t. I.

19-20 *Bartolo Alfani de Sassoferrato* (llamado Bartolo o Bártulo) y *Baldo Baldeschi*, célebres jurisconsultos italianos de los siglos XIV y XV, cuyos nombres son citados frecuentemente por los autores del Siglo de Oro como prototipos de la ciencia jurídica. Así, Cervantes (*La elección de los alcaldes de Daganzo*); Alemán (*Guzmán de Alfarache*, parte II, lib. I, cap. II); Enríquez Gómez (*Gregorio Guadaña*, cap. IV), y el autor de *La tía fingida*. Véase también Juan de Mena (*Dezir que fizo sobre la justicia e pleitos*).

suyo; y asimismo para andar en seguimiento de los que la entraban a visitar, para ver si en saliendo de su casa venían en busca de la mía.

En conclusión, cada día me daban avisos falsos, con personas echadizas, de que había dado cincuenta escudos a unos esmarchazos del país para que me dividiesen la facha o me vaciasen; y cada día se me agregaban más valientes para andar en busca dellos, haciéndome contribuyente de todos, por persuadirme que por sus respetos y por saber que era camarada de tantos hombres honrados, no se atrevían a ofenderme, y que me convenía andar de día con escolta, y a boca de sorna con patrulla, siendo todo una mentira y embeleco y una pública estafa.

Tuve la suerte de encontrar una tarde a la criada de la parte ofendida, a la cual, por ir cercado de tanta valentía, me atreví a llegar a hablarla, no diciéndoles quién era; y dándole queja del rigor de su ama en pagar a quien me matase, habiéndole hecho tantos servicios, me aseguró con dos mil juramentos que aun no le había pasado tal por la imaginación, y que antes estaba muy arrepentida de lo que me había dicho, y muy pesarosa porque no había vuelto a su casa; porque después que la había dejado, tenía muy pocas visitas o ningunas;

6 *Esmarchazos. Vid.* pág. 219, t. I, y pág. 168, t. II.

7 *Me dividiesen la facha, &.* *Facha* (italiano, *faccia* = cara o rostro). No encuentro explicación de *vaciasen.*

13 *Sornar*, en lenguaje germanesco, equivale a dormir. *A boca de sorna* significa, pues, a boca de noche, cuando ya es hora de retirarse o irse a dormir.

y que para que más me satisfaciese de la voluntad que me tenía, que leyese aquel billete que traía, con el cual había más de una semana que me andaba buscando para dármelo, y que la respuesta
5 fuese el ir yo mismo a desenojarla, porque sería bien recibido; y que ella, aunque pobre criada, salía por fiadora de cualquiera riesgo o daño que sobre aquel particular me viniese.

Recibí el papel, y dándole entero crédito a la
10 pucheril embajadora, le di un real de a ocho para alfileres, por la buena nueva que me había dado; y prometiéndole que haría lo que su señora me mandaba, me despedí della, y ocultando el billete, me volví al corrillo, adonde me esperaban. Fuí con
15 ellos a Palacio, dándome por desentendido de la picardía que conmigo habían usado, pues me habían hecho sentir más el miedo que había tenido que no el dinero que había gastado. Llegamos al cuerpo de guardia, y diciéndoles que me aguarda-
20 sen, que subía a hablar a Su Excelencia, me aparté para siempre jamás de aquella cuadrilla de pretendientes de galeras y solicitadores de horcas. Paréme en las escaleras a leer el papel de mi bien costosa dama, el cual decía desta forma:

25 "Señor gallego romano,
hombre de chanzas y burlas,
que ha probado todos brodios,
y campado de garulla;

---

14 *Corrillo* en las edics. de 1646 y 1655. Acaso será *Chorrillo*. *Vid.* pág. 155, t. I, y pág. 173, t. II.
27 *Brodio: Vid.* pág. 238, t. I.

"más raído que bayeta,
más descollado que grulla,
con más flores que verano,
y más conchas que tortuga;
"postillón de Alcalá a Huete, 5
gentilhombre de la bufa,
residente de bodegos
y asistente de bayucas:
"¿cómo, ingratonazo amante,
después de darme una zurra 10
y jugar de carambola
con cuatro mil garatusas,
has dejado a tu carrasca,
quizá por buscar corruscas,
y por chamuscarme en celos, 15
o te guiñas o te afufas?
"Tortolilla me contempla,
que en lugar de llanto arrulla,
por saber que aquesa flor
es del berro o la de Osuna. 20
"Vuelve a casa, pan perdido,
pues me tienes vagamunda,
que tu persona apetezco
y renuncio tu pecunia."

No me pesó nada de ver los versos, aunque por 25
ellos me trataba como quien yo soy y como quien
su merced era, porque al fin me satisfice más de lo
que la criada me había asegurado. Y entrándome

---

5 *Alcalá* y *Huete*, localidades de las provincias de Madrid y Cuenca, respectivamente. Equívoco con *alcahuete*.
8 *Bayucas* = tabernas. *Vid.* Quevedo en *B. A. E.*, LXIX, 98.
16 *Afufas*. *Vid.* pág. 132, t. II.
19-20 *Flor del berro, &*. Véase pág. 63, t. I.
21 *Vuelve a casa, &*. *Vid.* págs. 120, 189 y 192, t. II.

a visitar a Su Excelencia y coger los ciento del pico, no salí de Palacio hasta el cuarto del alba, haciendo a mis valientes estar toda la noche a escuras y sin cenar y aguardándome al sereno.
5 De allí adelante di en no entrar en el cuartel y de no salir de los palacios de los señores, hallando por mi cuenta que si durara un mes más el andar en la compañía que andaba sustentando el ejército de vagamundos que cargó sobre mis hom-
10 bros, que me fuera forzoso volver a ejercitar mis antiguos oficios o sentar plaza de soldado. Porque ha llegado a tal estado la milicia, que ya no hay descuidada madre que en reconociendo las faltas de su hija y sobras de nietos de diferentes padres,
15 como quesos de muchas leches, no se consuele con decir que no le faltará a su cordera un soldado con quien casarla: el negro del llanto es que se vienen a cumplir sus no santas profecías. No hay hombre, por bajo y humilde que sea, que en vién-
20 dose que por sus defetos no cabe en el mundo o que no halla quien le dé un bocado de pan, que luego no se acoja a la inmunidad deste sagrado. Y aun apenas los tales han sentado la plaza, cuando todos quieren ser parejos con los demás que na-
25 cieron con obligaciones, a los cuales les suelo yo decir con la preeminencia de mi chanza que membrillos cocidos y caracoles crudos no son todos unos.

1-2 *Del pico.* Los cien reales que el Almirante, a la sazón virrey de Nápoles, hacía dar a Estebanillo cada vez que éste le visitaba, según se indica en la pág. 182, t. II.

Dejóme la tropa de caimanes tan rematado de cuentas, que llegándose el tiempo de la embarcación, hube menester vender parte de mi recámara. Y por no parecer ingrato a mi abofeteada cortesana ni faltar a la correspondencia que debe tener 5 una persona de mi autoridad, le respondí a su billete el romance siguiente:

"Madama doña embeleco,
más lamida que alcuzcuz,
más probada que piñata, 10
más chupada que orozuz;
"más batida que una estrada,
más navegada que el Sur,
más combatida que Rodas,
más gananciosa que un flux; 15
"tan Circe de los novatos,
que con saber que eres pú-
silánime pecadora,
te hacen todos rendibuy;

10 *Piñata. Vid.* pág. 102, t. I.

12 *Más batida que una estrada.* Italianismo. Batir equivale a transitar; estrada, a camino.

17-18 *Que con saber que eres pu- | silánime pecadora.* Hay aquí un equívoco tan desvergonzado como transparente, y una figura (*tmesis* o *trajectio*) usada por Calderón y por fray Luis.

Calderón, *La niña de Gómez Arias*, jornada 1, escena 6: «Pues ¿qué cosa hay más imper- | tinente que la pobreza?»; Idem, *Dicha y desdicha del nombre:* «y la otra mitad a cuento | de la primera descá- | labradura que se ofrezca»; fray Luis de León, trad. de Horacio, que comienza: «Tornarás por ventura...»: «aunque te precies vana- | mente de tu linaje y nombre claro»; Idem, *Vida retirada:* «y mientras miserable- | mente se están los otros abrasando». Véase una nota muy erudita de Quevedo, a propósito de fray Luis, en *B. A. E.*, XLVIII, 487.

19 *Rendibuy: Vid.* pág. 8, t. II. Aquí *hacer rendibuy* denota más bien el agasajo, las muestras de atención que se tienen para una persona.

"garitera perdurable
del juego del dingandux,
tarasca de las meriendas,
y del dinero avestruz;
5 "ya no hay Bras, ni hay pan perdido,
que a tu gran ingratitud
le he cantado ya el *per omnia*,
después de hacerle la cruz.
"Sólo estoy arrepentido
10 de que te hice la buz
y de haberme zambullido
por lastre de tu laúd.
"Adiós te queda, que parto
a ver a Calatayud,
15 por no ser de tu galera
el forzado de Dragud."

Cerré el papel, y dándoselo a un vinatero conocido mío, se lo puso en sus manos, saliéndose sin aguardar respuesta, como le había ordenado. Fuí-
20 me a embarcar, por haber tirado la capitana pieza de leva. Hice llevar mi baúl, observando el adagio que dice: "Al embarcar, el primero, y al desembarcar, el postrero"; metílo a lo príncipe en la popa de la capitana, llevando para el matalotaje del lar-

2 *Dingandux.* Calderón (*Céfalo y Pocris*, jornada II) designa este juego con el nombre de *dinguindux* (*vid.* Rodríguez Marín, *Un millar de voces castizas, &*, 96).

5 *Ya no hay Bras, ni hay pan perdido. Vid.* págs. 120 y 189, t. II.

10 *Hacer el buz, o la buz:* hacer con la boca o los labios un cierto gesto halagüeño *(Dicc. Auts.)*. «O le da algo, o le hace el buz» (Hermosilla, *Diálogo de los pajes*, edic. Cotarelo, 56). Véase también Hazañas, *Los rufianes de Cervantes*, 197, 198 y 247; y la Barrera, *El cachetero del Buscapié*, 175-176.

16 *El forzado de Dragud. Vid.* pág. 50, t. II.

go camino veinte frascos de vino y veinte sardinas saladas y diez panecillos bizcochados y otras menudencias de regalos de dulces, para quitar el amargor de la boca después de las grandes polvaredas. 5

Iba el armada naval llena de infantería y caballería, levantada en aquel reino para rehacer con ella los ejércitos de España, y por cabo de toda ella don Pedro de Arellano, caballero de la orden de Santiago, llevando en la capitana, demás de mi 10 persona, a muchos caballeros y señores particulares, y particularmente a don Melchor de Borja, general de las galeras del dicho reino, y un obispo de la orden del seráfico Francisco y al reverendísimo padre fray Juan de Nápoles, general de la 15 dicha religión en la provincia de España, y otros muchos frailes que iban a ella a capítulo general que de presente se hacía.

Partimos de Nápoles con viento en popa y mar en bonanza, dejando llena la amenidad de aquella 20 playa de madres que lamentaban por sus hijos, y de casadas que lloraban por sus maridos, y de solteras que suspiraban por sus amantes. Entremetíme con todos los señores, y por haberme en-

---

6 *Armada naval. Vid.* pág. 216, t. I.

9 *Don Pedro de Arellano.* Está mencionado como almirante de una flota, hacia 1642, en *Cartas*, IV, 270.

12 *Don Melchor de Borja: Vid.* pág. 217, t. I.

15 *Fray Juan de Nápoles* está mencionado por el Duque de Rivas (*Sublevación de Nápoles*, edic. Bibl. Clásica, 95). En 1649 imprimió cierto *Memorial y discurso*, dirigido a Felipe IV. (Catálogo de la librería García y Rico, número 30766.)

comendado el Virrey al General, tenía particular cuidado con mi persona; que si como he tenido ventura con señores, la hubiera tenido en armas y en amores, quedara inmortalizado entre los varones heroicos y entre los amantes de renombre; pero las armas me han desmayado el corazón, y las damas me han afligido las bolsas. Llevábamos ocho cocineros, que trataban de nuestro regalo, y sirviendo yo de sobrestante de todos, abastecía la mesa y comía de lo más sazonado. Bebía tan sin compás, que siempre servía de lío en la popa, o de estorbo en la proa; por cuya razón los soldados unas veces me despojaban, sin ser enemigo, y otras me daban humazo, sin ser atalaya, y otras me punzaban con alfileres, sin ser morcilla; llegando a tal extremo sus desenvolturas y mis bien quejados agravios, que mandó el General que sufriese pena de estar seis horas de cabeza en el cepo quien me llegase a hacer mal ni inquietase mi perdurable reposo, y para mayor defensa mandó que me pusiesen un soldado de posta cuando a no poder más me reclinaran los vapores y me atarquinara el sueño.

Llegamos a dar fondo a la isla de Mallorca, reino muy fuerte y abastecido, y sobre todo muy barato, y ilustrado de mucha nobleza. Salté una mañana en tierra, y por desechar los fríos humores marinos, tomé tal lobo terrestre de aguardiente,

17-18 *Que sufriese pena* según la edic. de Michand. Las de 1646 y 1655 y las demás que he consultado, *que pena.*
28 *Lobo: Vid.* pág. 18, t. II.

que excedí a mi retador polaco en tercio y quinto; y al salirme a tomar el aire, por desistir el gran bochorno, salió el aguardentera tras mí pidiéndome la paga de lo que había bebido. Yo, sin respetar sus tocas, pareciéndome que era algún animal que me servía de estorbo a mi camino, le di tal envión, que le hice a su despecho sentarse en tierra. Levantóse como víbora pisada, y cerrando conmigo, me dió tal puñetazo en la barriga, que me provocó a restituirle por la boca toda su aguardiente, dándole con ella un baño, que la cubrí de arriba abajo. Ella, hallándose afligida, comenzó a dar voces y llorar su vestido, mientras yo con bascas mortales tomé posesión de siete pies de nuestra común madre. A este tiempo acertó a pasar el General, y compadecido de verme rendido, y lastimado de oir, aunque de lejos, a la remojada aguardentera, mandó que se le diese a ella un patacón y que a mí me llevasen los marineros a su capitana, donde fué menester para entrar en ella virarme con el cabrestante, porque más puede y pesa un lobo racional que no dos irracionales.

Salimos aquella tarde de aquel puerto, y al cabo de doce días que habíamos partido de Nápoles, llegamos a dar vista a la deseada España, sin haber

---

1 *Mi retador polaco* = el estudiante que se desafió con Estebanillo a beber aguardiente (pág. 157, t. II).

8 *Cerrando conmigo, me dió:* así la edic. de 1646. La de 1655, por errata, *conmigo mío.*

10-11 *Dándole con él,* en las edics. modernas. Las de 1646 y 1655, *con ella.*

24-25 *Llegamos a dar vista.* Casi seguramente esta expedición es la misma que arribó a Alicante hacia febrero de

encontrado en todo el camino ni enemigos que nos perturbasen ni tormenta que nos inquietase, atribuyéndolo todos, después de la voluntad del cielo, a la ventura del General; pues habiendo hecho 5 otros tres viajes, siempre había llegado a salvamento; que no consiste en sólo tener valor el que gobierna, sino en tener dicha para conseguir sus resoluciones.

1645 con 29 navíos, 1.000 caballos y 3.000 infantes. (*Cartas*, VI, 35 y 37.) *Vid.* pág. 181, t. II. Algunas diferencias que hay entre el relato de las *Cartas* y el de Estebanillo pueden concordarse fácilmente.

CAPÍTULO DOCE

[1645]

En que prosigue su llegada a España, y de dos ridículos casos que le sucedieron con una moza de posadas y un moderno ingeniero; de la merced que le hizo Su Real Majestad, y de un nuevo galanteo que le sucedió en ella, y de los demás acaecimientos que tuvo hasta llegar a San Sebastián 5

Desembarquéme en Vinaroz, con todos los señores que iban en aquella armada, y la gente de 10 guerra fué a desembarcar a los Alfaques de Tortosa. Púsose en camino de Zaragoza don Melchor de Borja, y yo, por ahorrar de gasto y triunfar a costa ajena, lo fuí acompañando, y por ser el viaje que yo había de hacer. Llegamos en el fin de una 15 jornada a una villa llamada Híjar, que está en el reino de Aragón, y entrando en una de sus mejores posadas, por hacer frío, me fuí derecho a la cocina; y hallando en ella una adamadilla fregona, olvidado del uso de la tierra, le tomé una mano 20

---

1 *CAPITULO DOCE:* la edic. de 1655, por excepción, señala con cifras romanas el número de orden de este capítulo y el del siguiente.
10 *Armada: Vid.* pág. 216, t. I.

y se la besé, y ella, corrida de que la tratase como a padre de confesión o como a misacantano, alzó un trapo de cocina, y dióme tal golpe con él en medio de la cara, que me quitó el frío de todo el
5 cuerpo; y al tiempo que trataba de desagraviarme y de armar la fullona, me hallé cercado de toda la familia, cerrando de tal suerte con el pobre Estebanillo, que si no acuden al socorro los criados de don Melchor de Borja, vengo a morir de achaque
10 de un beso. Sacáronme del poder de aquella caterva, y viéndome libre dellos, empecé a decir a grandes voces:

—¡Oh, bien haya dos mil veces Flandes, y dichoso y bienaventurado quien vive en él, pues allí,
15 con la mayor llaneza y sencillez del mundo, se apalpa, se besa y galantea, sin sobresaltos de celos ni temores de semejantes borrascas; cuya libre preeminencia y acostumbrada comunicación es causa de muchos aciertos en la gente ordinaria, pues
20 obligados los extranjeros de la cortesía y afabilidad que hallan en sus metresas y del amor que todo lo vence, llega una pobre doncella, en virtud del casamiento, a ser madamisela, y infinidad dellas a madamas! Y diciendo "¡no hay tal Flandes

---

6 *La fullona:* así la edic. de 1655 y las modernas. La de 1646, *la fuñona.*

21 *Metresas:* así la edic. de 1646. La de 1655, *mestresas. Vid.* pág. 144, t. I.

24 *No hay más* (o *no hay tal*) *Flandes* era expresión proverbial que se empleaba, dice Quevedo (*Obras satíricas y festivas*, Bibl. Clásica, págs. 441 y 450), «por encarecimiento de gusto». *Vid.* pág. 80, t. II.

en el mundo!", me retiré al aposento que me habían señalado.

Entramos la segunda semana de Cuaresma en la ciudad de Zaragoza, que el que goza de su grandeza y regalo puede ser envidiado de todos. Es 5 corte y cabeza del reino de Aragón, y en esta ocasión custodia y defensa de Castilla, y resguardo de Navarra; cuya amenidad de campos y fertilidad de arboledas, aumentando los anales de su fama, acreditan y multiplican la inmortalidad de su nom- 10 bre; y animada y vanagloriosa de príncipes y señores que la califican, ha llegado a merecer ser hoy segunda corte de España y habitación de su invencible león. Supe en ella cómo mi amo, el Duque de Amalfi, después de haber recibido mil hon- 15 ras y mercedes de Su Real Majestad, y muchos presentes de sus grandes, se había embarcado para Flandes, a gobernar las armas. Sentí de tal manera su partida, por lo que yo estimaba estar en su servicio y por la falta que me hacía y por haber 20

---

3 *La segunda semana de Cuaresma.* Como se han relatado ya sucesos del 6 de octubre de 1644 (*vid.* pág. 182, t. II), resulta que esta semana debió transcurrir entre el lunes 6 y el domingo 12 de marzo de 1645.

12-13 *Ser hoy:* al escribirse la obra en 1646. Véase en la pág. 245, l. 18, la relación de la entrada de Felipe IV en Zaragoza.

17-18 *Se había embarcado para Flandes.* Piccolómini debió de salir de España para Flandes a primeros de 1644. (*Cartas*, V, 389, 449, 452, 465.) Había llegado a España hacia octubre de 1643. (*Idem*, V, 307.)

18 *A gobernar las armas: Vid.* pág. 59, t. II.

19-20 *Por lo que yo estimaba estar en su servicio y.* La edición de 1655 suprime todas estas palabras, que figuran en la edic. de 1646.

hecho el viaje en balde, que no sé cómo no me caí muerto de pesadumbre; pero animándome lo más que pude, me salí a divertir y a contemplar el caudaloso y cristalino Ebro, que con labios de plata
5 besa los pies de los altivos muros de aquella insigne ciudad, y siendo procreado de las copiosas corrientes de Navarra, viene a servir de espejo a esta antigua Cesaraugusta, depositaria de multitudes de vírgenes, de millares de santos y de in-
10 mensidades de mártires.

Fuí un día a su abundante plaza del Pilar, adonde el patrón de las Españas dejó a la que, siendo emperatriz del cielo, es defensora de aquel reino. Y después de haber hecho oración en su templo
15 angelical, salí a ver aquel espacioso y abundantísimo mercado, el cual estaba lleno de atún fresco, de truchas salmonadas y de mil diferencias de pescados, así de su cercana mar como de su convecina ribera. Aficionéme a unas sardinas sal-
20 presadas, o ya fuese por ser su precio muy moderado, o por ser apetitosas a la bebida; y comprando media docena dellas y una ochena de pan, me retiré a una taberna de vino blanco, que por entrar y salir mucha gente della, me persuadí que
25 no amargaba el brodio, pues tantos tunantes acudían a la sopa. Asáronme las sardinas, y a sólo el olor que daban estando en las brasas, me bebí media docena de tazas de vino, y después, al sabor,

---

25 *Brodio: Vid.* pág. 238, t. I.
26-27 *Y a sólo el olor. Vid.* pág. 223, ls. 3 y 4, t. II.

diez y ocho. Preguntéle a la huéspeda cuánto era lo que le debía. Y mirándome con mucha atención de pies a cabeza, me dijo:

—Vuesa merced no se ha bebido más de veinte y cuatro tazas de a dos dineros; si yo tuviera veinte y cuatro parroquianos tan buenos oficiales, mi marido fuera en breve tiempo veinte y cuatro de Sevilla.

Yo le pagué lo que me pidió, asegurándole que aquello era una niñería y un breve desayuno para lo que yo acostumbraba a beber; y ella, haciéndose muchas cruces, me rogó muy encarecidamente que no echase su casa en olvido, que me daba palabra que otro día, por sólo mi respeto, empezaría una bota de vino tinto, que era el mejor que había en aquella ciudad. Despedíme della, prometiendo no faltarle mientras a mí no me faltase el dinero.

Salíme a la calle del Coso, segundo Cásaro de Palermo, y hallé hecho el distrito de su Cruz otras segundas gradas de San Felipe, adonde fuí conocido de muchos soldados de Flandes, Alemania y Italia, con los cuales me fué fuerza hacer camarada, por no andar solo y por tener con quien conversar. Estaban esperando a Su Majestad, porque se decía que estaba de partida en Madrid

18 *Cásaro. Vid.* pág. 106, t. I.

19 *Cruz:* monumento que existió en el Coso de Zaragoza, frente a la calle del Cinegio. (Joaquín Tomeo y Benedicto, *Las calles de Zaragoza*, Zaragoza, 1870, 61.)

20 *Gradas de San Felipe:* el famoso *mentidero de Madrid*, delante del convento dedicado a ese santo, que estuvo en la actual Puerta del Sol, esquina a la Carrera de San Jerónimo y a la calle de Alcalá.

para venir a aquella corte; y en el ínterin también yo, como pretensor, y que llevaba carta de la Emperatriz, su hermana. Dimos en visitar la taberna del blanco y tinto, aunque mis visitas eran tan cortas, que allí me salía el Sol, y allí me hallaba la Luna.

Hacíase en este tiempo, en una aldea cercana desta ciudad, una fiesta a devoción de un mártir de aquel reino, a cuya fama acudía mucha gente de toda la comarca; y por no tener que hacer yo y dos camaradas soldados de Flandes, nos fuimos a divertir y entretener a la dicha aldea, y en el camino fué cada uno dellos discurriendo sobre sus pretensiones.

Dijo el que parecía de más autoridad, que había ocupádose todo un año en leer un libro que trataba de fortificaciones; y que aunque era verdad que no tenía ninguna experiencia, porque había muy poco que había venido a servir desde el reino de Nápoles, su patria, que tenía tan en la memoria todo lo contenido en el libro, que se atrevía a decirlo, sin errar una sílaba, tan bien como el Ave María, y venía a suplicar a los señores del Consejo de Guerra le diesen licencia para sentar plaza de ingeniero y gozar del sueldo que gozaban los demás de aquel género; que lo que a él le faltaba en experiencia, le sobraba en ciencia.

Dijo el otro compañero que él había servido en la caballería, y que en la batalla de Rocroy había

28 La batalla de *Rocroy* había sido ganada a los españoles por Condé el 19 de mayo de 1643.
La acción transcurre en 1645.

sido su compañía desbaratada; yéndose él retirando para ampararse al calor de nuestra infantería, un teniente de nuestras tropas, pensando que era francés, por ir en tal traje, por ser hábito más desembarazado y libre que los demás para hacer 5 el amor y montar a caballo, le había seguido y dado un pistoletazo y dos cuchilladas; y que después de haberse librado de sus fieros golpes y puesto en salvamento, en virtud de haber tenido buen caballo y dado al diablo el primer inventor de trajes 10 ajenos, siendo tan bueno y honesto el suyo, que había pedido licencia, por haber quedado estropeado del brazo derecho, y que habiendo llegado a Madrid y presentado sus papeles ante los señores del Consejo de Guerra, por no haber sido las heridas 15 dadas por el enemigo, en castigo de querer ser arrendajo de francés y vestirse de dominguillo, con porpuén estrecho y con gregüescos con bragueta encintada, no le habían querido hacer merced, antes le habían roto todos los papeles de sus 20 servicios y remitido el memorial al Parlamento de París, para que le premiase, cuando no los servicios, por lo menos el afición de quererlos imitar en el uso del vestir; y que así se había venido como persona desesperada a andar mendigando. 25

Con estos discursos, llegamos a la aldea a la una de la tarde, y hallamos en su plaza dos compañías de labradores, la una de moros con ballestas de bodoques, otra de cristianos con bocas de fuego.

---

18 *Porpuén:* francés, *pourpoint*, justillo.

Tenían hecho de madera, en la mitad de su dicha plaza, un castillo de mediana capacidad y altura, adonde habían de estar los moros; y el día venidero, cuando la procesión llegase a su vista, la compañía de los cristianos le había de dar asalto general, y después de haberlo ganado a los moros, los habían de llevar cautivos y maniatados por todas las calles, dando muchas cargas de arcabuzazos en señal de la vitoria. Tenían dos danzas, la una de espadas y la otra de cascabel gordo, y cuatro toros que correr; por lo cual, estaba el anchuroso distrito todo lleno de andamios, y todas las entradas de sus calles cerradas con talanqueras.

Estaba toda la puerta de la iglesia colgada de paramentos, y pendientes dellos veinte y cuatro premios para premiar los viente y cuatro mejores sonetos que se hiciesen en alabanza y pintura de una rosa, que al alba es botón y capullo, a medio día flor y a la tarde despojo. Los premios eran cintas, guantes, bolsillos y un par de ligas de color. Había, al tiempo que llegamos a esta académica colgadura, más de veinte sonetos de estudiantes y de personas de don y rumbo, que asimismo habían venido a ver la fiesta.

Yo, por ser tentado de la poesía, me acerqué a leer aquella selva de variedad de musas. Era su compostura tan realzada y culta, que más me pareció prosa griega que verso castellano. Leílos todos, sin entender ninguno, y le dije a un estudian-

14 *Estaba toda la puerta de la:* así la edic. de 1646. La de 1655 suprime *puerta de la.*

te que estaba cerca de mí, que me hiciese merced de declararme aquel género de poesía y decirme si tal lenguaje era armenio o caldeo. A lo cual me respondió que no se atrevía a declararlo, porque él tenía allí uno, que era parto de su ingenio, del cual 5 esperaba llevar el mejor premio, y a querer darme la significación de él, se hallaría confuso y no saldría con ello, porque lo que de presente andaba valido era el gongorizar con elegancia campanuda, de modo que pareciese mucho lo que no era nada, y 10 que no lo entendiese el autor que lo hiciese ni los curiosos que lo leyesen. Porque en no remontándose un poeta, sino abatiéndose a raterías de escribir con lisura, pan por pan, y vino por vino, no solamente no era estimado, pero tenían sus versos 15 por versos de ciego.

Llamé a mis camaradas, que el uno estaba divertido en ver las danzas, el otro en darle vueltas al castillo, midiéndolo todo a pies y nivelándolo con un compás; y con achaque de beber un trago, para 20 aliviar el cansancio del camino, los llevé a una taberna, para ver si acertaba mi pluma a remontarse sobre aquella vascuenza jerigonza. Y pidiéndole a la huéspeda un jarro de vino y recado de escribir, nos retiramos a una pequeña sala, adonde nos die- 25 ron lo que había pedido. Púseme a escribir, el in-

---

9 *Gongorizar*. Verbo empleado ya por Terreros Espinosa y por Polo de Medina y cuya entrada en el Diccionario pedía D. Francisco Rodríguez Marín. (*Un millar de voces castizas, &*, 140.)

Vid.: «Sólo uno en el mundo gongoriza.» (Espinosa, *El cerro y la calentura.*)

geniero a peinarse y el otro a beber. Levanté los ojos buscando un consonante, y vi al peinado matemático, que habiendo desembaulado de una de sus faltriqueras un gran papelón de harina, se estaba rociando con ella un largo y encrespado cabello que tenía. No pudiendo detener la risa, le dije que si trataba de freir la cabeza, pues la enharinaba tanto. A lo cual me respondió:

—Hermano Estebanillo, cada uno campa con su oficio y vive con su ingenio, si acaso lo tiene; y así, mientras vos queréis ganar premios con vuestros disparates de Juan de la Encina, me aseo yo para representar lo que soy y hablar al Concejo desta aldea sobre los yerros que tiene la planta y fortificación del castillo; que estoy cierto que he de sacar yo más en media hora con mi matemática, que no vos en un año con vuestra poesía.

Repliquéle que si importaba al caso, para que lo respetasen, en ir enharinado como besugo. Respondióme que no ignoraba yo que en Flandes servía aquello de gala y de secar el pelo, y que era uso de gente de porte, y que por habérsele acabado unos polvos olorosos que había traído de allá para el efeto, se aprovechaba de los de la harina, y que hallaba por experiencia, y que lo había fundado en buena matemática, el ser mucho mejores y más baratos; porque siendo el trigo el rey de las legum-

12 *Juan de la Encina*, el célebre dramaturgo, había logrado también burlesca notoriedad por sus coplas de disparates, a las cuales alude Quevedo. (*Visita de los chistes*, en *Obras escogidas*, edic. Calleja, 161.)

bres y el patriarca de las plantas y yerbas, era fuerza que fuese su harina o polvo la nata y flor de todo lo referido; y que así lo pensaba dar por escrito y introducirlo cuando volviese a los Países Bajos. 5

Con la buena conversación o polvareda, di yo fin a mi soneto; él a su nevada peinadura; el otro, que tenía más juicio que nosotros, al jarro. Salimos todos juntos a la plaza, después de haber pagado lo que habíamos hecho de gasto, y apartándome de ellos, llegué a la puerta de la iglesia, y en el referido paramento prendí con un alfiler el soneto que había hecho, al nivel que estaban todos los demás, cuyos versos eran los siguientes: 10

Ebúrnea de candor, fénix pomposa, 15
débil botón, frondoso brujulea,
zafir mendiga, armiño golosea,
siendo dosel tribuna vaporosa.

Maravilla epigrama procelosa,
en canícula fiesta titubea, 20
pues solsticio Faetón, ninfa Febea,
precipicios inunda jactanciosa.

¡Oh, inicuo trance y trémulos fulgores!
Contemplarse al albor regio edificio,
y yantando en atril de ruiseñores; 25

ser al ocaso incausto sacrificio,
y sombra mustia lo que al alba flores,
siendo de Ceres frágil desperdicio.

---

26 *Incausto* en las edics. de 1646 y 1655. Las modernas, *infausto*. Pero *incausto* podría ser un latinismo (*incaustum*, o *encaustum*, esmaltado, matizado) que estaría muy en su punto en este latinizado soneto.

Apenas estaba colgado el compendioso globo de bernardinas y dislates, cuando, como si fuera cartel de justa real, se llegó todo el novelero vulgo a leerlo; y celebrándolo por no entenderlo, y ensal-
5 zándolo porque presumiesen que no lo ignoraban, sacaron más de veinte traslados dél; y por hallarse presentes los jueces académicos, me dieron por premio las referidas ligas, aunque mal dadas y peor merecidas, quedando con todos en opinión de
10 segundo Góngora.

Y apartándome de la tropa de mil cultos versificantes, me fuí en busca de mis camaradas, santiguándome de que hubiese llegado a ver tiempo que se premiasen chanzas y bachillerías, y no inge-
15 nios. Hallé al estropeado encolerizado con los soldados de la compañía de la suiza, diciéndoles a qué lado habían de llevar los arcabuces los que iban a la parte de afuera de hileras, y cómo se había de calar la cuerda, y a cuántas hileras había de ir la
20 bandera. Y aunque lo quise apartar de allí, diciéndole que para qué se metía en lo que no le iba ni venía, pues aquellos labradores no eran gente de guerra ni estaban obligados a saber las leyes de la milicia, no pude desarraigarlo de la compañía, respon-
25 diéndome que no parecía bien que los forasteros

---

2 *Bernardinas: Vid.* pág. 208.

12-13 *Santiguándome* en la edic. de 1646, y *santiguándose* en la de 1655.

16 *La suiza.* Antigua diversión, en que se hacían ejercicios bélicos. La edic. de 1655 suprime el *la*.

20 *Y aunque le quise,* en la edic. de 1646. En la de 1655, *y aunque no lo quise.*

que viniesen a aquella fiesta hiciesen burla de aquella pobre gente, habiendo allí soldados viejos, como ellos lo eran, para dotrinarles.

Dejélo con su tema, y yéndome paseando por la dicha plaza, vi que en un rincón della estaba el matemático con el Cabildo y Concejo, que se habían juntado a su pedimento. Acerquéme un poco para ver de qué materia se trataba, y puesto el oído como vaquero que ha perdido novillos con cencerro, oí que mi camarada le estaba diciendo al Alcalde que era un valiente ingeniero, y que tendría a particular favor, para darse a conocer en España, que su merced lo ocupase en lo tocante a su profesión, pues de presente tenía muy bien en qué.

El Alcalde le respondió que lo habían engañado en hacerlo venir a aquella aldea, porque en ella no había ingenio ninguno, que en Motril los había muchos y buenos, de azúcar, y que allí, siendo tan eminente como decía, sería muy bien recibido.

Él replicó que su ingenio no era de azúcar, sino de hacer fortificaciones, y que habiendo visto que la de su castillo estaba errada, según las reglas de Euclides, y que no sabrían los soldados, por ser bisoños, hacer circunvalación ni abrir ramal de

---

4 *Dejélo con su tema, &.* Todo este pasaje está lleno de reminiscencias del *Buscón*, de Quevedo.

7 *Pedimento*, en la edic. de 1646. En la de 1655, *impedimento.*

18 *Ingenio:* talento, artificio, maña. También se llama *ingenio* a la fábrica de azúcar.

trinchea, por eso los había hecho juntar a sus mercedes, para que se fuese ganando palmo a palmo, sin que llegase a haber inundación de sangre, mediante lo cual quedaría aquella pequeña república eterna.

El regidor respondió:

—No son tan bisoños nuestros soldados como vuesa merced los hace, pues en esta convalación o convalecencia que es necesaria, sabrán hacer muy fuertes ramales y bien torcidas sogas, porque además de no haber en toda esta comarca quien les lleve ventaja, cogemos en esta aldea el mejor esparto que hay en todo el reino; en lo demás, porque quede fama de nuestra fiesta, vuesa merced disponga a su gusto, que todos estos señores del Concejo le ayudarán con todas veras.

Dijo el soldado que lo primero que se había de hacer era añadir y poner dos caballeros al castillo.

El Jurado le respondió:

—Eso no le dé a vuesa merced cuidado, porque esta tarde y mañana al amanecer vendrán aquí muchos y muy calificados de Zaragoza, y por hacernos merced se pondrán en la parte que les ordenare, y si fuere menester damas, lo alcanzaremos de la misma suerte.

Advirtióles el soldado que los caballeros que decía habían de ser labrados de tierra. Respondió-

1 *Trinchea: Vid.* pág. 220, t. I.
18 *Caballeros*, es aquí equívoco, en su significación usual, y en la otra, usada en fortificación, de: fuerte levantado sobre el terraplén de una plaza.

le el sascristán que los caballeros de aquel reino, y de todo el mundo, que no eran de bronce ni de acero, sino de tierra y polvo, como el más pobre villano, y que para dárselo a entender la Iglesia, el miércoles de ceniza les decía al ponérsela: *Memento homo*, etc. 5

Insistíales el soldado que mandasen juntar a todos los labradores, para abrir un cordón que cogiese todo el contorno de la plaza para que el castillo quedase sitiado. 10

Respondióle el alcalde que para abrirlo y cerrarlo que él y sus compañeros bastaban, pero que la dificultad que se les ofrecía era que no se hallaría en la tienda cordón que fuese tan largo, porque todos los que se vendían en ella eran cortos y claveteados; pero que podría suplir la falta un listón, pues campearía más y sería más agradable a la vista. 15

Estaba el soldado tan grave y espetado y tan divertido en la gente que se le había juntado, que no atendía a los despropósitos que le respondían. 20

Preguntóle al Regidor que si tenía en los almacenes provisión de zapas y palas.

El cual le respondió:

—Señor Ingeniero, en esta aldea hay muchos zapes, porque es muy abundante de gatos; zapas, sino son las hembras deste linaje, no hay otras ningunas; mas en lo que toca a palas, tendremos cuantas quisiéremos. 25

13 *Ofrecía*. en la edic. de 1646. En la de 1655, *ofreciera*.

Pidióle el soldado que le trajese un par dellas, para ver si eran de munición; y llegándose el Jurado a una de las más cercanas casas de adonde se hacía el Ayuntamiento, le trajo una pala grande de 5 madera, con que en aquella tierra se junta y traspala el trigo; y llegando muy vanaglorioso, se la puso en las manos al señor matemático, diciendole:

—No por falta de palas se dejará de hacer la 10 fiesta, porque en un cuarto de hora me atrevo a juntar doscientas destas; y si no le agradare esta hechura, y las quisiere más largas, le haré traer cuantas se hallaren en los hornos.

Díjoles el soldado que aquellas no eran de pro-15 vecho, porque habían de ser de hierro las distancias de las anchuras de las bocas, porque con aquella era imposible abrir trinchea para desembocar el foso.

El sacristán, haciéndose cruces, le respondió que en su vida no había oído los nombres exquisitos y 20 extravagantes que iba nombrando, ni que tal había escrito en su breviario; pero que a él le parecía que la trinchea era cosa forzosa que se abriese con trinchete, según su derivación; y que si era así, que allí había un zapatero de viejo que los 25 tenía muy buenos y muy afilados, y que en un pensamiento le abriría, como quien rebana tajadas de melón.

---

10 *Porque en un:* así la edic. de 1646. La de 1655 suprime *un.*

18-19 *Que en su vida no había oído.* Negación redundante usada a menudo por los clásicos: *Vid.* pág. 77, t. I.

Estaba tan turbado el pobre soldado de ver que todos cuantos estaban en su rueda, pensando que había dormido entre algunos sacos de harina o que aposta se la habían echado, pensando lisonjearle, se llegaban a él, y unos con las manos, y otros con 5 los ferreruelos y otros a soplos le iban deshollinando el cabello y enjalbegando el vestido, que no advertía en que lo que hablaba con aquellos villanos y lo que le respondían era hebraico, por ser gente que no lo entendían, ni ataba ni desataba 10 con su loca pretensión, y con todo esto no dejaba de proseguir en su tema.

Díjole al alcalde que para el castillo y hacerle brecha había menester media docena de cañones. A lo cual respondió que aunque fuera una docena 15 se los podía dar al punto el sacristán, porque los tenía, como hacía el oficio de escribano, de los mejores gansos que se hallaban en toda Francia.

—No digo cañones de escribir —dijo el soldado—, sino piezas gruesas. 20

Respondióle el Alcalde:

—De esas, gracias a Dios, tenemos hartas de lienzo casero y de muy buenas frisas.

Yo, que estaba reventando de haber tenido tanto la risa, soltándola toda de un golpe, di causa a 25 que todos me mirasen, y no de buen talante, y porque no sospechasen que era haciendo burla dellos, les dije que la causa de haberme reído había sido de ver a aquel señor ingeniero, mi cama-

27 *No sospechasen*, en la edic. de 1646. En la de 1655, *no se sospechasen.*

rada, en figura de mozo de molinero, hablar tan culto con sus mercedes, que ni era entendido ni se daba a entender, pues las piezas que pedía eran de artillería, de las que traen los ejércitos para 5 defensa y ofensa.

A esto respondió el Alcalde que era pedir gollorías, porque no tan solamente no las había en el aldea, pero que la mayor parte de sus moradores ni las habían visto ni oído.

10 Mi camarada, medio enfadado de que yo hubiese llegado a interrumpirle sus designios, le dijo al Alcalde que supuesto que no había piezas con que abrir brecha para dar el asalto, que sería forzoso que le diese media docena de barriles de pól-15 vora, para hacerle mina al castillo y volarle un lienzo.

Respondióle el Regidor:

—Esos son los que no hallaremos por ningún dinero; pero se los daré a vuesa merced de ancho-20 vas, que las puede comer el mismo Rey; y para que las pruebe y vea que tengo buen gusto, mientras vamos al encierro de los toros, por ser ya hora, se irá con el señor Jurado a una pequeña posada que está aquí cerca, que yo le enviaré un 25 plato dellas, para que se regale con su camarada; y cuanto se hiciere de costa hoy y mañana en ella, les pagaremos con mucho gusto, y esta noche nos veremos y trataremos de lo que se ha de prevenir para que nuestra fiesta no tenga ningún defecto, ya

19 *A Vuesa merced* en la edic. de 1646. En la de 1655, *V. m.*

que Dios nos ha traído a tan buena ocasión dos tan excelentes matamicos.

Dióme gana de reír, pensando que si el Regidor sin conocernos nos llamaba matamicos, si nos hubiera visto en la taberna de Zaragoza, con justa causa nos pudiera llamar matamonos y matazorras.

Pasó el Jurado delante de nosotros, y juntándose a este tiempo con el ingeniero el otro soldado, nos llevó a un pequeño bodegoncillo, y dió orden y facultad al huésped, que se llamaba Pero Antón, para que nos diera de comer y beber cuanto quisiéramos, que el Concejo lo pagaría. Y volviéndose muy de priesa, por causa del dicho encierro, nos dejó tan bien alojados, que con el luquete del plato de anchovas que nos trajo un hijo del Regidor henchimos de rayas toda una pared. Acomodamos razonablemente al patrón de casa, el cual, por no dar muestras de su flaqueza y por darnos alegría, por lo bien que despachábamos su mercancía, nos empezó a tocar un tamboril y una flauta.

Yo y mis camaradas tomamos por estribillo el decir:

—Toca, Pero Antón, que la aldea lo paga.

Y al son del chiste y paloteado, le comimos cuanto tenía en su casa, menudeando tan apriesa los cuartillos, que faltando pared adonde rayarlos, fué necesario ir cruzando las rayas sencillas y convirtiéndolas en dieces. Hízose el encierro, acudiendo

---

16-17 *Henchimos de rayas.* Las que se hacían para llevar la cuenta del consumo.

a él muchos nobles de Zaragoza, a los cuales el Alcalde alojó en su casa, y contándoles lo que había pasado con el ingeniero, le dijeron que sin duda debía ser algún loco, porque aquello se hacía
5 en la guerra, y no en la paz, y que si abría cordón o trinchea en la plaza, que cómo se habían de correr los toros, y que quién había de querer estar en el castillo si lo batía o volaba.

Acertóse a hallar en esta conversación el que
10 hacía el capitán de los moros, y viendo que él había de ser el batido o volado, partió como un rayo a querer matar al matemático. Detuviéronle los caballeros y el Alcalde, reportándole, con darle por castigo al que le quería hacer tanto daño, sin ser
15 su enemigo ni haberle ofendido en su vida, que pagase la costa que había hecho, y que él y sus camaradas se saliesen al punto de toda aquella jurisdición.

Vino el sacristán a notificarnos el auto, a tiem-
20 po que el ingeniero estaba blasonando de que por él se hacía aquel gasto, y que pensaba sacar muchos ducados de aquel pequeño Concejo, porque estaba satisfecho que no había otro como él en todos los ejércitos de la cristiandad. Cuando oímos el ri-
25 guroso fallo, los dos nos quedamos mudos, y mi estudiante de un año y sin maestro, atónito y embelesado. Requiriónos el sacristán que nos saliésemos con mucha brevedad, porque estaban conjurados contra nosotros todos los moros, por ha-

6 *Trinchea: Vid.* pág. 220, t. I.

berlos querido volar siendo bautizados; y que si nos deteníamos allí, demás de la pena del señor Alcalde, nos matarían ellos a puros bodocazos. Llamé a Pero Antón, con más miedo que vergüenza, y le dije que supuesto que lo gastado no lo pagaba el aldea, sino nosotros, que nos mirase con ojos de piedad, pues lo habíamos preservado a él de los barriles y cañonazos. El cual, como he dicho, por estar de buena data o por temer que la morisma no nos hallase en su casa, nos hizo buen partido. Pagamos cada uno su parte, andando a puto el postre por quién había de pagar primero y no ser el postrero en salir de la casa y de la aldea. En efeto, despachamos con brevedad y con la mayor presteza que pudimos.

Llegamos antes de la media noche a las murallas de Zaragoza, adonde en el portal de un convento nos estuvimos hasta el alba, dando al diablo el libro de las fortificaciones, y al salvaje que tan poco provecho había sacado dél. Venida la mañana, entramos en la ciudad, la cual hallamos alborozada y llena de fiestas y regocijos, por entrar aquel día en ella Su Majestad, habiendo salido a recibirle todos los títulos y caballeros y toda la demás nobleza. Yo y mis compañeros, olvidando

---

10 *No nos hallase.* Negación redundante muy frecuente en nuestros clásicos: *Vid.* pág. 77, t. I.

22-23 *Entrar aquel día.* Felipe IV había salido de Madrid el 11 de marzo, y debió de entrar en Zaragoza hacia el 18 del mismo mes de 1645. (*Cartas*, VI, 39 y 43; Lafuente, *Historia de España*. Barcelona, 1888; XII, 8.)

con la buena nueva la mala noche y por celebrar la entrada, nos fuimos a nuestro devoto tabernáculo a hacer hora y a ver a mi buena tabernera, que demás de haber sido desde el segundo día que en- 5 tré en su casa la tesorera de mis dineros, siempre que me veía me hacía mil halagos.

Bebía yo tan desaforadamente de aquel licor zaragozano, que mis camaradas me habían muchas veces reñido, diciéndome que mirase que aquel vino 10 no era francés ni italiano, sino español puro y sin trampas, y que aunque eran las comidas sustanciosas, comía poco y bebía mucho, y que al cabo había de dar conmigo en el hospital o en la sepoltura. Pero yo me hacía sordo, y callaba y sorbía. 15 Empezó a pasar la nueva de que Su Majestad estaba ya a las puertas de la ciudad, y queriendo ir a verle y a gozar de tan excelsa entrada, no me pude menear de la parte adonde estaba asentado, por hallarme tan tullido de manos y pies, que no 20 era señor de mí. Fuéronse mis camaradas, contentos de que por no haber tomado sus consejos había salido verdadera su profecía, y cumpliósele el deseo, a la tabernera, de tenerme siempre en su casa. Pero no le duró mucho la alegría, porque 25 dentro de quince días di fin al corto caudal; y así que olió mi pobreza, me dijo que buscara posada, porque no quería tener enfermos en la suya. Y anduvo tan bizarra conmigo, que aun no me quiso hacer crédito de una taza de vino, quizá por soli- 30 citar mi salud, habiéndomelas dado de diez en diez cuando estaba mucho peor y tenía con qué pagárselas; mas al cabo y la postre cada uno acude a quien es.

Habíanme dicho mis camaradas cómo en la jornada había venido acompañando a Su Majestad el Marqués de Grana y Carreto, embajador ordinario de la Majestad Cesárea, cuya nueva me alentó de manera, que viéndome forzado de la necesidad y de la falta de salud, le fuí a visitar, y por estar satisfecho que en aquel señor había de hallar todo socorro y amparo, por ser muy generoso y muy amigo de mi amo, a quien yo había conocido en la batalla de Tionvilla, siendo general de la artillería de la armada imperial, que gobernaba el Duque, mi señor; el cual, así que me vió pendiente de dos muletas, admirándose de hallarme en tan miserable estado, usando de su grandeza y piedad, me admitió en su casa, mandando a sus criados que se me acudiese y regalase con todo lo que yo pidiera. Dióme, demás destas mercedes, una libranza de muy gentiles reales, con que quedé libre de necesidad.

Tuve demás de esta buena suerte otra no menor que ella; y fué que teniendo noticia de la grave enfermedad que tenía, don Francisco Totavila, maestre de campo general, y su hermano don Vi-

5 *El marqués de Grana y Carreto,* después de haber sido general del Emperador, fué embajador de éste en Madrid, a lo menos desde 1641. (*B. A. E.*, LXIX, 539; *Cartas*, IV, 177.)

17 *Mandando*, en la edic. de 1646. En la de 1655, *mandó*.

24 *Don Francisco Totavila y su hermano don Vicente.* Ignoramos quién sean estos personajes. Cánovas (*Historia*

cente Totavila, a quien yo había conocido en Flandes siendo capitán de corazas, haciendo alarde de señores liberales y de ilustres caballeros napolitanos, vinieron por mí en una carroza, movidos de 5 compasión, y llevándome a su casa, me dieron una cantidad de doblas para que me pusiese en cura; que no es poca grandeza en el siglo que corre que haya señores que den sin pedir, y más en tiempo que estimaba yo más un real que ahora un doblón; 10 porque entonces me hallaba tullido y desacomodado, y al presente me hallo con salud, y con ella adquiero lo que he menester y más de lo que yo merezco.

Viéndome entonces favorecido de tantos seño- 15 res y la bolsa en buen estado, consulté mi enfermedad con el licenciado Estanca, cirujano de opinión, ciencia y experiencia, y con el doctor Tamayo, cirujano de Su Majestad, los cuales me condenaron a ser gato de algalía y caballo de juego 20 de cañas; y por ver si me podía librar de tener penas de infierno en vida, me ponía todos los días a la puerta de la calle de la casa del Marqués, adonde, como tengo dicho, era mi asilo y habitación, y a cuantos doctores pasaban, malos o buenos, de 25 fama o sin ella, les quitaba el sombrero hasta el suelo, no tanto por el grado como por haberlos menester, y a todos contaba la llaga y la plaga, y les ofrecía montes de oro, y a ninguno daba nada; porque del prometer al cumplir hay muchas le-

de la decadencia, &, 409) menciona a un D. Jerónimo de Tottavilla, napolitano, general de la artillería.

guas de distancia, y mi oficio es de recibir, y no de dar. Decíanme todos:

—Estebanillo, si quieres vivir, no bebas (que era lo mismo que decirme: cáete muerto); y el vino que hasta aquí has despeñado por los condutos de la garganta es menester que salga alambicado por todo el cuerpo, en agua convertido.

Viendo que todos se conformaban en una misma cosa, me determiné, con el refugio de los señores que me favorecían, a irme al hospital a tomar una docena de sudores y dos unciones particulares. Recibiéronme con gran voluntad, por tener un loco más en aquella santa casa; y tratándome como alma condenada, me abochornaban los tuétanos, y me escaldaban las pajarillas, estando siempre como el Rico avariento, carleando con un palmo de lengua fuera de la boca, pidiendo a aquellos benditos Lázaros una gota de vino, acotándoles con las obras de misericordia; pero ellos me decían que con la paciencia se alcanzaba la gloria, y que lo que había pecado por carta de más, era necesario que lo purgase con carta de menos. Y después de haber hecho mi cuerpo una docena de veces sopa abahada, me dieron las dos unciones para que aprendiese a ser mula de doctor babeando todo el día.

Viéndome tan atormentado y afligido delante de los enfermeros y de otros muchos testigos, hice en alta voz juramento solemne de no beber más vino, pues por su causa había llegado a verme como

16 *El Rico avariento: Vid.* pág. 138, t. I.
23-24 *Abahada*, en la edic. de 1646. En la de 1655. *abada*.

me veía y a padecer lo que estaba padeciendo. Pero arrepentido del gran disparate que hacía de quererme privar de aquello que más estimaba y de intentar apartarme de lo que más quería, al mis-
5 mo punto que acabé de hacer el voto, le añadí una alforza diciendo en voz baja:

—Hasta que salga del hospital.

Y con haberle acortado el plazo al juramento, aún lo vine a quebrantar, pues en el rigor y fie-
10 reza de la salida de los sudores y entrada en las unciones, obligué con ruegos a mis camaradas a que me trajeran lo que me ayudó más a echar espumas y lo que me alargó más la enfermedad, porque más gustaba de morir bebiendo que vivir
15 sin beber.

Habían venido acompañando la corte algunos poetas de los de nombre y fama, y uno dellos, que tenía noticia de mi persona, y aun unos mendrugos de celos sobre una ninfa a quien festejaba, que
20 por su agudeza y brío la llamaban la Coscolina, quizá a pedimiento della, o por venganza dél, me compuso la glosa siguiente:

Tomando estaba sudores
Marica en el hospital,
25 *que el tomar era costumbre,*
y el remedio era el sudar.

---

1 *Veía*, en la edic. de 1646, y *vía*, en la de 1655.

20 *La Coscolina.* Quevedo nombra también así a una de las burlescas heroínas de sus jácaras. (*Obras*, Ribadeneyra, III, 98-99; *Vid.* también Hazañas y la Rua, *Los rufianes de Cervantes*, pág. 269.)

El remedio del gracejo,
galán de la Coscolina,
que al olor de una sardina
da fin a un tonel de añejo,
por curtir bien su pellejo, 5
que está lleno de vapores,
sin que le valgan sus flores,
ni aproveche su cocaña,
hoy en la corte de España
tomando estaba sudores. 10

De suerte se vió afligido,
como le falta la nieve,
que llora lo que no bebe,
mas no por lo que ha bebido:
la sed lo tiene rendido, 15
y en faltándole el bocal,
es incurable su mal;
pues de suerte se entristece,
que, hecho lágrimas, parece
Marica en el hospital. 20

No da al viento exclamaciones,
siendo sus ansias atroces;
pues por no dar, no da voces,
y por tomar, toma unciones:
por pedir, pide a montones, 25
y toma sin pesadumbre
un azumbre y otro azumbre,
y así pide por merced
que le remedien su sed,
que el tomar era costumbre. 30

Siendo un tiempo bachiller,
hoy está en eterna muda,

3 *Que al olor, &, Vid.* pág. 200, t. II.
8 *Cocaña: Vid.* pág. 98, t. I.

y lo que ha bebido suda,
y trasuda por beber:
por dar al cuerpo placer,
trata ya de se afufar,
por salir a refrescar,
diciendo que es mejor medio
el beber para remedio,
y el remedio era el sudar.

Después de haber estado más de dos meses en el hospital, salí dél sano de pies y manos; pero las piernas como hueso, y el cuerpo como espárrago, y la voz como tiple de capilla, y con orden de que hiciese cuarenta días de dieta, la cual cumplí de manera, que antes de pasar las cuarenta horas había ya bebido más de cuatrocientas veces, comiendo en casa del Embajador cuando me daban, y comprando en las plazas cuanto apetecía; de suerte que me trataba como sano, echando seis higas al doctor, y doce al cirujano, y cien bendiciones al varón santo que descubrió el sarmiento y docientas a los que los plantan y benefician.

Sentí infinito el no hallar en la corte a los dos hermanos Totavilas, y estuve harto pesaroso cuando me dijeron que estaban en campaña, por faltarme a la convalencia tan buen amparo. Dióme capricho, porque no se me apolillaran los dos vestidos que me dió el Rey de Polonia, de vestirme a lo polaco, por llevarme tras mí los ojos del vulgo y por ser conocido con más brevedad. Salíme en

4 *Afufar. Vid.* pág. 132, t. II.
28 *Tras mí* figura en las edics. modernas; pero *tras sí*, en las de 1646 y 1655.

este traje a pasear todos los días con una muletilla, a lo de príncipe, o privado, extrañando de tal manera el traje toda la ciudad, que sus oficiales dejaban sus acostumbradas ocupaciones por salirme a ver a las puertas, por tener que reír y fisgar; 5
las damas su labor, por asomarse a las ventanas a hacer burla y donaire de mí, y los muchachos, olvidados de los mandados a que iban, me cercaban y seguían, y aun a veces me querían apedrear. Unos decían que era judío, otros que japón, otros que 10
turco; y yo callaba y orejeaba, porque aquel que deja su traje se pone a cualquier censura.

Había hecho el amor, antes de haberme tullido, a una dama de mantellina y de chinela con listón, gobernanta de la cocina y llavera de la des- 15
pensa, compradora del sustento, moza de cántaro y lavandera de río, a quien ya he dicho que llamaban por mal nombre la Coscolina; y por vivir en frente de la taberna de los dos vinos, adonde yo cargué como nube, y no de agua, para llover 20
en la región de fuego del hospital, tuve lugar para verla, hablarla y regalarla. Y como al tiempo que ella me mostraba amor, y daba con algunas finezas señales de agradecida, caí malo y me ausenté de su barrio a ponerme en cura, se suspendió la comu- 25
nicación y quedó mi pretensión en cierne; mas como las de aquella raza son el símbolo del amor y el desprecio del interés, sin reparar en dimes ni diretes, me hizo, sin ser doctor, media docena de visitas, dejándome siempre debajo de las almoha- 30
das muy lindos papelones de confitura. Por no pa-

recer ingrato a tanto favor, la fuí a buscar un sábado en la tarde a la carnicería principal; y encontrándola al salir della y llegándome a hablar como solía otras veces, se espantó tanto de verme
5 en aquel hábito y se corrió de tal suerte, por verse detener delante de tanta gente, que encendida en cólera y llena de vergüenza, se abajó al suelo, y tomando una piedra, que podía servir de pesa de reloj, me la tiró con tal suavidad y blandura, que a
10 no retirar la cabeza, me la hiciera pedazos, y diciendo:

—¡Al loco, muchachos!, se fué con la mayor brevedad que pudo. Los muchachos, por obedecerla, empezaron a darme mil voces, repitiendo:

15 —¡Guarda el loco, guarda el loco!, cargándose de piedras y de tronchos de coles. Y tengo por cosa cierta que, a no pasar a esta ocasión el Embajador, que me metió en su carroza y me llevó a su casa, que venía a ser uno de los innumerables mártires
20 de Zaragoza, aunque dudoso el premio de mi martirio.

Fuí otro día a hablar a Su Majestad, con mil temores de llegarme a poner delante de tal soberanía, pues cuando vi los rayos de su grandeza y con-
25 sideré las fuerzas de su poder, eché de ver que los demás poderíos opuestos a los giros de su luz son vapores o exhalaciones abortadas de la tierra, cuya ambición las ha congelado en nubes, y cuya envidia y golpes de la fortuna han solicitado obscu-
30 recer su claridad y suspender el curso de su lu-

29-30 *Obscurecer*, edic. 1646, y *escurecer*, edic. 1655.

ciente carrera, sin advertir ni considerar que al cabo ha de permanecer por ser Sol, y al fin ha de deshacer, consumir y abrasar los más altivos y remontados vapores y las más gruesas y preñadas nubes. 5

Presentéle los papeles de los servicios que había hecho siendo correo, la letra de favor de la Emperatriz María, y las fees que llevaba de haber sido criado de Su Alteza Serenísima el Infante don Fernando, pidiéndole en recompensa el poder tener 10 una casa de conversación y juego de naipes en la ciudad de Nápoles; la cual, no solamente me dió por merced particular y provisión en forma, pero de más a más, carta para el Almirante de Castilla, virrey de aquel reino, para que me amparara y fa- 15 voreciera; que solamente se puede llamar feliz y bienaventurado el que sirve a tan gran monarca, pues él sólo es el que premia y el que tiene con

8 *Fees: Vid.* pág. 123, t. II.

9 *Alteza Serenísima*, según la edic. de 1646, y *Alteza*, según la de 1655.

11 *Una casa de conversación.* Esta *conversación* resultaba, a veces, demasiado entretenida. *Asentar conversación* equivalía, en el lenguaje de los tahures, a abrir casa de juego, tal como la aclara en seguida Estebanillo (*vid.* Hazañas, *Los rufianes de Cervantes*, 40).

Pedro Espinosa *(El perro y la calentura)*, criticando los eufemismos con que se disimulaban ciertos nombres y calidades más o menos vituperables: «la casa de juego [se llama] casa de conversación».

Estebanillo, que a veces las llama así (*vid.* pág. 184, t. II), les da también su verdadero nombre (pág. 75, t. I).

14 *Carta.* Este es otro de los documentos, además de los a que ya nos hemos referido, cuyo posible descubrimiento aclararía el misterio biográfico de Estebanillo.

18 *Y el que*, en la edic. de 1646. La de 1655 suprime el *y*.

qué poder premiar; y aquel que en su servicio no avanza, culpe a su corta suerte, y no a la grandeza deste poderoso Alejandro.

Yo quedé tan ufano y tan agradecido de ver que 5 un refulgente Apolo y un león coronado se acordase de remunerar servicios tan inútiles y hechos por tan humilde sabandija, que a no saber que mi madre me había parido en Salvatierra de Galicia, reino que me ha honrado en poderme nombrar su 10 leal vasallo, me hubiera, al mismo punto que recibí la merced, partido por la posta a Roma, y sacado su esqueleto de la tumba adonde yace, y trayéndolo lleno de paja, como caimán indiano, en llegando con él al primer puerto de cualquiera de 15 sus reinos, lo vaciara y me zampara de nuevo en su vientre, aunque estuviera en él en cuclillas, y la obligara a que me volviera a parir vasallo de tal deidad. Que si supieran bien los que lo son, el rey que tienen y las mercedes y honras que cada ins- 20 tante les hace, le sirvieran de rodillas; pues siempre las pregona la fama, las publican las historias y las envidian los reinos extranjeros,

Hallándome ya despachado y tan a medida de mi deseo, me fuí a despedir del Conde de Monte- 25 rrey y de don Luis de Haro, grandes de España, y grandes en valor y grandeza, amparo de todos los pretendientes; los cuales, demás de haberme favorecido en mi pretensión y en la brevedad del des-

---

7-8 *Mi madre, &. Vid.* pág. 62, t. I.

pacho, me dieron dos cartas de favor para el dicho Virrey, suplicándole que por ningún impedimento se me dilatase la real merced; que el ser señores no consiste en la nobleza del solar ni en la grandeza del título, sino en dar muestras de serlo, ayudando 5 a los desvalidos y favoreciendo a los que poco pueden, y honrando generalmente a todos; que para no hacer esto, poco me importa a mí ni a nadie que sean grandes o que sean pequeños.

Dióme asimismo el Marqués de Grana, demás 10 de las mercedes que me había hecho, una carta para el Virrey de Navarra y cincuenta ducados para el camino, y treinta don Francisco Toralto, maestre de campo general reformado y gobernador de Tarragona. No me atreví a irme a despe- 15 dir de tantos duques, marqueses y condes como había en aquella corte, por haber sido causa mi enfermedad de no haber tenido dicha de haberlos comunicado. Y estando con algún reposo aguardando a partir con comodidad y compañía, me 20 envió a llamar mi conocida tabernera, la cual, pen-

---

1-2 *Dicho virrey* es el de Nápoles, ya mencionado (páginas 173 y 227, t. II).

12 *El virrey de Navarra* es el conde de Oropesa, a quien se alude más adelante (pág. 234, t. II).

13 *Don Frvncisco Toralto di Aragona*, que la edición de 1655 nombra *don Francisco Torralto*, y la de 1646, *Toralto*, era hacia 1645, según Estebanillo, gobernador de Tarragona. Según las *Cartas* (t. VIII, pág. 616), fué maestre de campo general en Cataluña, hecho prisionero en la rota del Vallés; defendió a Tarragona (V, 225); fué creado príncipe de Massa; los amotinados de Nápoles le hicieron su caudillo y, por último, murió a manos de éstos en octubre de 1647 (VII, 134-136).

14 *Reformado: Vid.* pág. 164, t. I.

sando que me hacía una lisonja, me dió un billete muy cerrado, diciéndome que se lo había dado su vecina, a quien yo tanto había estimado, para que en todo caso lo pusiese en mis manos. Abrílo con 5 harto regocijo, porque aunque me sentía algo agraviado, no dejaba de quererla con todo extremo, el cual decía de aquesta suerte:

"Por pensar que vuesa merced era soldado, me incliné a su persona, porque como tengo algo de 10 Venus, soy aficionada de los que siguen a Marte. Y aunque le vi que asistía más al ramo de una taberna que no a la bandera del cuerpo de guardia, no por eso lo desestimé, porque jamás tuve por valiente al que pasa por plaza de aguado; pero cuando llegué a 15 verlo con bonete turco y sayo de loco, quedé tan corrida y avergonzada de haber empleado tan mal mis finezas y de haber puesto en tan humilde sujeto mi amor, que quise vengarme a pedradas en la causa, por haber sido engañada en la materia. 20 Y así vuesa merced, perdonando el atrevimiento, ponga mi amor en eterno olvido, y enamore de hoy más a las que fueren polacas; o mudando de traje, podrá ser que yo mude de parecer.

Su menor criada, y un tiempo su mayor aficionada."

25 Quedé tan enamorado de oír el billete, como picado de haberla visto apedrearme con dos mil

8 *Que Vuesa merced*, en la edic. de 1646, y *V. m.*, en la de 1655.
11 *Al ramo. Vid.* pág. 163, t. I.
24 *Su menor criada. Vid.* pág. 44, t. I.

donaires, tanto, que estuve resuelto a suspender el viaje y a mudar de vestido; pero por no resfriarme y por temer que dama que se llamaba Coscolina se me había de acoger con cañamar, me salí al mismo punto de Zaragoza, y tomé el derecho 5 rumbo de San Sebastián, para pasar en la primera embarcación que hallase a los Estados de Flandes a buscar a mi amo y señor, para agradecerle el bien y regalo que en su casa había recibido y las mercedes y honras que por su respeto 10 me habían hecho; y después, con su licencia y voluntad, irme a Nápoles a gozar de la merced que Su Majestad me había hecho, quizá por atención de que era yo su criado y que sólo había venido a España en busca suya. 15

Llegué a la ciudad de Tudela, una de las principales de Navarra, adonde me di un verde aceitunado de olorosas frutas y de excelentísimos vinos, llevando ordinariamente un mundo tras mí, por la novedad del traje, haciéndoles creer el mozo de 20 mulas que era un Embajador del Transilvano. Pasé, a una legua de aquella ciudad, el presuroso y soberbio río de Ebro, sobre los hombros de una anchurosa y reforzada barca, en la cual compré una gran cesta de anguilas, por ser comida rega- 25 lada y estimada en toda aquella comarca, las cuales, con los arrieros y pasajeros y mozos de mulas que nos habíamos juntado en el camino, nos las merendamos en una venta a cuatro leguas de Ta-

25 *Anguilas* en las edics. de 1646 y 1655, que en la página 232, l. 8, t. II, indican *anguillas*.

falla, bebiéndonos con cada una, por que no se nos pegasen al estómago, una azumbre de vino, más helado que si fuera deshecho cristal de los despeñados desperdicios de los nevados Alpes; porque vale
5 tan barata la nieve en aquel país, que no se tiene por buen navarro el que no bebe frío y come caliente. Menudeamos de tal suerte al sabor de las anguilas y a la consolación de la frescura de la bebida, que a estar más en la venta de lo que es-
10 tuvimos, obligábamos al ventero a que bebiera lo que beben los bueyes, hallando cuando entramos en su posada un tonel lleno de lo tinto.

Caminamos al caer el sol y toda la noche, por ser tierra tan cálida, que no se puede andar por
15 ella, si no es con mucho riesgo de la salud, mientras dura la fuerza del sol. Quiso mi desgracia, por barajarme el gusto que traía de la buena merienda, que a una legua de Tafalla, emparejando con una ermita que está cerca del camino real, ni
20 sé si por hacerle reverencia, si por ir lleno de sueño, o por caminar cargado de vino, di una caída de la mula abajo, tan feliz y venturosa, que sin romperme la manga de la hungarina polaca, ni la del jubón napolitano, ni la de la camisa española,
25 me hice mil pedazos un brazo, por ser la mula pequeña de cuerpo, y el camino llano y arenoso. Quedé el hombre más contento deste mundo, de ver que mi caída no necesitaba de insignia; porque ¿qué más gusto que en cualquier tiempo digan los
30 que vieren el revolcadero: "Aquí cayó un lobo ga-

30 *Lobo: Vid.* pág. 18, t. II.

llego", que no: "Aquí mataron a un hombre; rueguen a Dios por él"?

Lleváronme medio muerto a la villa, y metiéndome en una posada, en lugar de cirujano, pedí que me trajesen de beber, para pasar el susto. 5 Trajo el huésped una cantimplora de vino frío, y el mozo de mulas un cirujano caliente; y tratando primero de aplacar mi sed, traté después de remediar mi brazo. Hallóme con un calenturón temerario; y atribuyéndolo al vino, que en su presencia 10 había bebido, dijo que si proseguía con tal desorden, que no tenía que ponerme en cura. Dile palabra de enmedarme y de satisfacerle su trabajo, en virtud de lo cual me curó aquella noche, viniéndome a visitar después dos veces al día. Coheché de 15 tal manera al huésped, que apenas había dado fin a una cantimplora llena de clarete y nieve, cuando ya estaba otra apercibida y puesta a enfriar. Decíame el cirujano, todas las veces que me curaba, que echara de ver si había importado el reglarme 20 en la bebida, pues cada día iba mejor. Reíamos yo y el huésped, dándole a entender que bebía agua cocida.

Al cabo de quince días me hallé sano y con fuerzas para ponerme en camino. Pagué al huésped; y 25 después de haber andado muy generoso con el cirujano, le dije que la causa de estar tan fuerte y animoso y haber estado bueno con tanta brevedad era por los milagros que había usado el vino conmigo, por ser yo tan su devoto y por haberle te- 30 nido siempre a mi cabecera. Él me respondió:

—Lo que a unos mata, a otros sana.

Y despidiéndome de los dos y saliéndome aquella mañana de Tafalla, llegué a la tarde a la ciudad de Pamplona, cabeza del reino de Navarra, frontera de Francia. Y queriendo entrar por una de las puertas de sus fuertes y altivos muros, se alborotó de tal manera la guardia que estaba en ella, por verme en traje polaco, que me espanto cómo no me dieron una rociada de balazos. Salió un cabo de escuadra con veinticinco soldados, y todos con sus armas, a recibirme, más de guerra que de paz. Hiciéronme poner pie en tierra, y cercándome como si fuera enemigo, me preguntaron de qué nación era, qué oficio ejercitaba, de adonde venía, adonde iba. Yo, temblando de verme entre tantas picas y arcabuces, después de haber satisfecho al interrogatorio, les dije que mirasen que era Estebanillo González, flor de la jacarandina, criado del Duque de Amalfi, y hidalgo muchísimo menos que el Rey; y que para que más se satisfaciesen, les presentaría mi carta de creencia y ejecutoria, protestándoles que me diesen libertad y me levantasen el sitio. Pero no siendo todo esto bastante para ablandar al cabo de escuadra, se determinó de llevarme delante del Conde de Oropesa, que era

18 *Flor de la jacarandina: Vid.* págs. 45 y 143, t. I.

25 *El conde de Oropesa*, séptimo de este título, don Duarte Fernando Alvarez de Toledo y Portugal. Secretario suyo fué el historiador y dramaturgo D. Antonio de Solís. Nombrado virrey de Navarra hacia octubre de 1642, continuaba desempeñando ese cargo hacia agosto de 1645; pero debió de cesar en él antes de octubre del mismo,

Virrey de aquel reino, y a quien yo traía las cartas de recomendación.

Llevé tras mí un batallón de gente popular, apellidándome a voces espión. Llegué a palacio con toda esta escolta, y entráronme en el cuarto de Su Excelencia, habiéndole primero enviado un recado con un paje suyo el cabo de escuadra de que había preso a un esguízaro españolado, por sospecha de espía. Llegué a su deseada presencia, por verme libre de aquellos soldados del prendimiento; y después de haberle hecho un rastreado de cortesías, le di la carta, la cual leyó con mucho agrado; y riéndose de ver con el recato y guardia que me habían traído, le mandó al cabo que se volviese, que aquella espía era de paz. Y después de haberse entretenido conmigo en saber el largo viaje que había hecho sin haber podido dar un alcance a mi amo, mandó a su mayordomo que todo el tiempo que me detuviese en aquella ciudad, hasta tener nueva cierta de embarcación, que me diese ocho

---

fecha en que ejercía el virreinato de Valencia. En esta última ciudad le conocería acaso Gracián, que le celebró en *El Discreto*, año 1646. (*Vid.* Cejador, *Historia*, V, 48; *Cartas*, IV, 478; VI, 145 y 175, y VII, 355; Gracián, *El Discreto*, edic. Calleja, 153.)

Como antes (pág. 217, t. II) se alude a marzo de 1645, la acción transcurre después de esa fecha y antes de octubre del mismo año.

4 *Espión: Vid.* pág. 217, t. I.

8 *Un esguízaro españolado*. La edic. de 1646, *esguzaro*, y la de 1655, *esguazaro*. Corregimos *esguízaro*, que equivale a suizo, ya que lo tenemos por errata notoria. *Españolado* es el extranjero que en aire, traje y costumbres se parece a los españoles, y que se expresa bien en el idioma de éstos. (*Vid.* pág. 244, t. II.)

reales de ración cada día, que de presente hay racionero de la capilla real de Granada que hubiera trocado su ración por la mía. Hallábame siempre a su mesa, adonde saliendo siempre tripa horra, daba sepultura a los mejicanos. Venían todas las noches muchos caballeros navarros, y particularmente don Pedro Navarrete, a cortejarle y entretenerle, con quien yo chanceaba bravamente; y después de venderles bulas sin ser Cuaresma, les contaba las mayores mentiras y embelecos que se pudieran imaginar; y para que no pudiesen comprobarse, acotaba haber sucedido en Alemania y en Polonia. Dábanme allí muy buenos baratos, y en sus casas muy caros y sabrosos claretes.

Bajéme una noche a jugar a las pintas con un acemilero alentado, y encerrándonos los dos en su aposento, que estaba pegado a la caballeriza, a la luz de una torcida, alimentada con aceite, le gané todo cuanto tenía, con tal rigor, que aun no tuvo dicha de que llegase el naipe a su mano; y colérico de su mala suerte o sentido de la pérdida que había hecho, quitándome de las manos el libro desencuadernado, me dió con toda la baraja en mitad de los hocicos: yo, acordándome de las leyes del duelo, por no quedar en nada cargado, aunque siempre lo estaba de vino, le di tal sombrerazo en las asentaderas de los bigotes, que le dejé aplastadas

5 *A los mejicanos.* Se suprime, por elipsis, *pesos.* Vid. pág. 29, l. 6: «Media docena de pesos mejicanos.» Había de ser muy corriente el dinero acuñado allí. *Vid.* Lope de Vega, *La Dorotea* (V, 3): «Alcancé bajamente una cadena y algunos escudos, naturales de México.»

las narices. Acudió con velocidad a un rincón a tomar su espada, y yo, temeroso de que la hallase y me ahorrase de venir a Flandes, arbolé la luz, y dándole un soberbio candilazo sobre las espaldas, después de haberlo hecho acemilero manchego, 5 quedó el pobre Estebanillo a escuras y a puerta cerrada, y muerto de miedo; pero dime tan buena maña a palpar la surtida, que primero di con el cerrojo que mi contrario con la tizona.

Salíme a lo raso, y amparándome del cuerpo de 10 guardia, llegó en mi seguimiento mi encandilado aceitero, con cinco palmos de herrusca, tan antigua, que pienso que en su juventud la trajo el Cid en sus alforjas. Opúsose a su ímpetu un cabo de escuadra, y después de haberlo desarmado, sin ha- 15 ber tocado a la queda, y de darnos a cada uno media docena de cintarazos, que de esta mercancía suelen los oficiales de ahora ser muy liberales, se hizo sabidor de todo el caso, y trató de hacernos amigos, no queriendo venir en ello mi rascador de 20 mulas hasta tanto que le pagase el menoscabo de la ropilla y el valor del candil. Pero yo, dando muestras de príncipe polaco, le di doce reales, de veinte que le había ganado, y llevándolo a él y al cabo de escuadra y a media docena de soldados a 25 la taberna del vino de Zaragoza, que está dentro del mismo Palacio, gasté los ocho reales que me quedaban de toda la ganancia, ahogando la penitencia y poniendo en olvido los agravios.

8 *Surtida,* puede ser italianismo *(sortita)* o galicismo *(sortie),* palabras equivalentes a nuestra *salida.*

Tuve otro día nueva de que había llegado a San Sebastián la Marquesa de Torres, en una fragata de Dunquerque, de lo cual di aviso al Virrey, y pidiéndole licencia para proseguir mi viaje, me dió
5 a la despedida un pasaporte y una carta para Onofre Pastor, maestre de campo reformado y gobernador de aquella plaza, para que me hiciese dar embarcación y una ayuda de costa, como de mano de un grande de España y Conde de Oropesa.
10 Salí de la ciudad de Pamplona con una mula y un criado, y después de haber pasado los confines del reino de Navarra, entré en la provincia de Guipúzcoa, que, aunque es país no barato, es muy regalado y ameno de variedad de arboledas. El
15 segundo día y postrero de mi viaje, a persuasión del criado, quizá por ir él a caballo, bebí una poca de sidra, por hacer gran calor y decirme que era buena para refrescar; pero apenas la había embasado por mi daño e ignorancia en la cueva de mi
20 barriga, cuando empezó a tener alborotos con el vino que estaba dentro y andar a puñadas el uno con el otro, sintiendo yo, bien contra mi gusto, la batalla y el combate; ¿pero qué menos me podía suceder con bebida cuyo propio nombre es zagar-
25 doa, que mal azagaya le tiren al ladrón que tal me hizo beber? Al fin, como en muchos reinos y señoríos me han dado emperatrices, reinas y damas

---

2 *Una fragata.* Acaso cierto navío que arribó de Flandes a San Sebastián, de cuya llegada avisaba el conde de Oropesa hacia agosto de 1645. (*Cartas*, VI, 145.)
17 *Sidra.* Las edics. de 1646 y 1655: *cidra.*

de calidad muchas ayudas, de costa, en esta provincia la señora doña Zagardoa, marquesa del Real de Manzanares, me honró con hacerme ayuda de cámara y escudero de a pie, pues todo el camino fuí a pata con los calzones sueltos y en las manos 5
y haciendo a cada veinte pasos una parada.

Llegué, sobre tarde, a San Sebastián, debilitado, lacio y despeado, y para alivio del mal que había padecido, la primer nueva que me dieron fué que la fragata que había venido de Dunquerque 10
se había partido para la Coruña; mas para conmigo todos los duelos con vino son menos, y es el que me mata y da vida. Acudí al remedio, y entrándome en una posada, me trajeron un bizcocho y una azumbre de lo de Rivadavia, el cual, por ser 15
mi paisano, me sosegó la tormenta de la barriga, y fué causa de poderme poner las agujetas. Y sintiéndome un poco más aliviado, fuí a llevar la carta del Conde de Oropesa al Gobernador de aquella plaza, el cual me dijo que el día que supiese que 20
había alguna embarcación para Flandes, que le avisase, que al punto me haría embarcar, y que si se me ofreciese alguna cosa, que acudiese a su casa. Con esto me despedí, y yéndome la vuelta de mi posada a tratar de la convalecencia de mi desgra- 25
cia, encontré con dos soldados de los Países Bajos,

---

1 *Ayudas de costa..., ayuda de cámara: Vid.* pág. 94, t. II.

2-3 *Marquesa del Real de Manzanares:* equívoco sobre un título nobiliario y sobre la calidad de la sidra, elaborada con jugo de *manzanas*.

que me habían conocido en ellos, el uno alférez y el otro sargento, los cuales habían sido prisioneros en la batalla de Rocroy, y se habían huído de la prisión, y estaban aguardando pasaje para volver-
5 se a sus compañías; y después de habernos saludado, les supliqué se quedasen aquella noche a cenar conmigo; en cuyo convite me contaron su larga prisión y el modo que tuvieron para librarse y llegar a gozar de la amada libertad. Quedamos
10 aquella noche de concierto de hacer camarada, supuesto que todos éramos de una nación y hacíamos un mismo viaje.

Estuve treinta días en esta villa, gastando lo que tenía, y sin tener socorros, como en las demás par-
15 tes donde había estado. Asistíales a mis camaradas don Diego de la Torre, secretario que había sido de Estado y Guerra en los Estados de Flandes. Al cabo de este tiempo hallamos un bajel hamburgués que iba a Holanda, con el cual concerta-
20 mos nuestra embarcación por muy poco dinero, y del remanente que a mí me había quedado compré siete mil limones, con intención de venderlos donde llegase a tomar puerto, y cuatrodoblar el caudal; pero hice la cuenta sin la huéspeda. Hicimos una
25 muy buena provisión, así de comida como de bebida, la cual juntamente con los limones llevamos al dicho bajel, y echando la bendición a la tierra, tomamos quieta y pacífica posesión dél.

11 *Y hacíamos:* así en la edic. de 1646. La de 1655 suprime el *y*.

CAPÍTULO TRECE

[1645-1646]

En que prosigue el viaje que hizo a Flandes, los naufragios que le sucedieron en el camino, y los palos que le dieron en Inglaterra, la llegada a Bruselas y la despedida para Nápoles 5

Salimos de aquel puerto con favorable viento y con esperanzas de tener feliz viaje; y el primer día, por tener conociencia y amistad con el patrón y marineros, les convidamos a aguardiente, donde 10 fueron tantos los brindis, que si con cada uno camináramos un cuarto de legua, llegáramos aquella noche a Dunquerque. Dimos todos tres camaradas valientes muestras, mientras duró la bonanza, de alentados, fuertes y briosos; pero al cabo de dos 15 días nos sobrevino tan fuerte borrasca, que deshicimos la pompa, y hechos unas madejas, nos tendimos como atunes.

---

1 CAPITULO TRECE: *Vid.* pág. 197, t. II.

9 *Conociencia*, en la edic. de 1646, y *conocencia*, en la de 1655. *Vid.* pág. 156, t. I.

11-12 *Camináramos*, en la edic. de 1646, y *caminábamos*, en la de 1655.

17 *Madejas*, en la edic. de 1646. En la de 1655, por errata, *mades*.

Tardamos veinte y cinco días en sólo tomar la canal, habiendo desde San Sebastián a la boca della no más de ochenta leguas. En esta canal, y no de tejado, tras de todos nuestros infortunios y trabajos, nos faltaron los bastimentos, así a nosotros como a los marineros. Aquí fué donde de todo punto aborrecí el agua, y adonde acabé de confirmar por insensatos a los hombres que pueden caminar por tierra comiendo cuanto quieren y bebiendo cuando gustan, y se ponen a la inclemencia de los vientos, al rigor de las ondas, a la fiereza de los piratas, y finalmente, ponen sus vidas en la confianza de una débil tabla, sin considerar el peligro de un escollo, el riesgo de una sirte, y el daño de un bajío, el temor de un banco, el sobresalto de una playa y la soberbia de una bestia fiera y indómita, y que le basta ser mujer para ser mudable y voltaria.

Viendo la muerte a la puerta y la hambre dentro de casa, animé a mis compañeros, y diciéndoles: "De paja o heno el vientre lleno", los bajé abajo, y dando en los limones como si estuvieran en conserva, cortábamos la cólera a todas horas, aunque teníamos bien poca, los cuales nos servían de principios y postres. Traíamos todo el día las

2-3 *No más de ochenta leguas:* así las ediciones de 1646 y 1655. Las modernas: *no más de ochocientas leguas,* lo cual resulta notoriamente disparatado. Pero tampoco pudo ser dicho irónicamente, porque entonces hubiera resultado más natural la tardanza.

7 *Y adonde,* en la edic. de 1646. La de 1655 suprime el *adonde.*

23 *Cortábamos la cólera.* Véase pág. 67, t. I.

bocas agrias, las barrigas acedas, y los dientes afilados y de un palmo, y a la noche cerrábamos con una docena de toneles de vino que llevaba el patrón, con que quedábamos confortados. Y por irse pudriendo mis limones, los iba trocando con una gran cantidad que llevaban los marineros, y creciendo y multiplicando la mía.

Pero viéndonos el patrón tan alegres y regocijados y estar todo el día y la noche debajo de cubierta, sin lamentarnos de la hambre y sed, como todos los demás lo hacían, y considerando que no éramos cuerpos santos para pasarnos de milagro, bajó abajo, y haciendo visita general, nos descubrió la flor, y nos mandó subir arriba. Pero anduvo tan bizarro, considerando a lo que obliga la necesidad, que no se dió por entendido, ni nos hizo cargo de nada de lo que le faltaba; pero de allí adelante no nos dejó entrar debajo de cubierta, con que nos helábamos de frío y nos ahilábamos de hambre, soplando siempre un viento contrario, para acabarnos de acomodar.

Estando ya desahuciados de todo remedio, dando bordos, y rindiendo bordos, llegamos una tarde a dar fondo en Valmur, uno de los mejores puertos de Inglaterra. Saltamos en tierra y nos entramos en una taberna, y como si fuera noche de Carnestolendas o se casara alguno de nosotros, toda la noche, o la mayor parte della, se nos fué en satisfacer las muchas que habíamos pasado malas,

14 *Flor: Vid.* pág. 63, t. I.
24 *Valmur* es sin duda Falmouth, el gran puerto inglés.

sin haber a las últimas ruciadas ninguno que se acordase de las tormentas ni de las calamidades pasadas.

Venida la mañana, desembarcamos todos los limones, y los llevamos a vender a una villa que está a una legua deste puerto, y en una de las más ricas posadas tomamos un aposento, y llevando con nosotros una gran partida dellos, dejamos los demás encerrados. Fuímonos a la plaza, adonde pasamos plaza de marchantes de agrio, y a medio día nos regalábamos como mercadantes de dulce. Despachamos aquel día todos los que sacamos al mercado, y volviendo a la noche a nuestro aposento, hallé que me habían hurtado más de la mitad de los que había dejado; y como si estuviera en tierra del Rey de España y tuviese a mi lado al Duque de Amalfi, mi amo, que me defendiese, empecé a hundir la posada a voces y a llamar perros, ladrones, luteranos al huésped y a sus criados, a lo cual ninguno me respondía, por no entenderme.

Llegó el sargento a mí, y viéndome tan colérico y desbaratado, pues braveaba en tierra ajena y con nación contraria a nuestra fe, me dijo que callase, porque había muchos en aquel reino que sabían hablar español, y que si alguno llegase a entender lo que les decía, que me matarían a palos; pero apenas fué dicho cuando fué hecho, porque habiéndome oído un inglés españolado todos los nombres de las fiestas que les había dicho, dió cuen-

23 *Me dijo*. Las edics. de 1646 y 1655: *y me dijo*.
28 *Españolado: Vid.* pág. 235, t. II.

ta a cuantos estaban en la posada, y tomando cada uno el palo que halló más a mano, me dieron más leñazos que limones me habían hurtado. Y no contentos de haberme medido de arriba abajo infinidad de veces y de no dejarme hueso que me quisiese bien, nos llevaron a todos tres a una jaula de hierro que estaba en mitad de la plaza, y encerrándonos en ella como a papagayos, nos dejaron a escuras y al resistero del viento.

Allí purgamos los buenos pastos que nos habíamos dado, y allí temimos, siendo en tierra, más que todos los peligros que habíamos pasado en la mar. Estuvimos toda la noche haciendo consultas, y a la mañana amanecimos arrecidos, por ser cerca de Navidad, y transidos de sed y de hambre. Llegábannos a ver cuantos pasaban por cerca de la jaula, y en lugar de preguntarnos: "¿Cómo estás, loro?", nos decían: "Infames papistas y espiones", y otros favores a este tenor. Acertó a pasar un caballero de aquella villa, que su persona daba muestras de serlo, el cual nos saludó en latín, y yo tomando la taba y soltando la taravilla, sin darle lugar a que nos hiciese ninguna pregunta, le estuve latinizando más de media hora, contándole

9 *Resistero* es el tiempo de medio día, hasta las dos, en el verano, cuando el sol hiere con más fuerza, o bien el calor causado por la reverberación del sol *(Dicc. Auts.);* y el autor aplica irónicamente esta palabra a una helada noche de diciembre, sufrida a la intemperie, en Inglaterra.

14 *Arrecidos*, en la edic. de 1646. En la de 1655: *aterecidos*.

18-19 *Espiones: Vid.* pág. 217, t. II.

24 *Latinizando: Vid.* pág. 63, t. I.

nuestro viaje y causa de la pendencia, mollizna de palos y encerramiento de jaula; y humillándome ante él, le mostré todos mis papeles, y le supliqué que tuviese compasión de nosotros. El cual, enter-
5 necido de ver con la poca razón que nos tenían de aquella suerte, fué y habló a la justicia, y volviendo con un ministro della, nos hizo abrir la puerta, y sin decirnos ox, nos salimos de la jaula y nos pusimos en la calle los tres pajarotes. Agradeci-
10 mos al caballero la merced que nos había hecho, y vendiendo los limones que nos habían quedado, salimos de la villa más recios que jarras.

Llegamos a la marina, adonde hallamos el bajel con mucho espacio, y sus marineros con mucha
15 flema, y dos fragatas de Dunquerque que, forzadas del mal temporal, habían llegado a dar fondo. Viendo que estaban medio de partida y que el dinero iba boqueando, nos determinamos de embarcarnos en ellas; y llegando a hablar a los que ve-
20 nían por cabos, me llevaron a mí a la una, y a mis camaradas a la otra. Salió la mía día de Navidad del año de 1645, y en corso contra holandeses, franceses y portugueses. Iban todos deseando hallar ocasión en que mostrar su esfuerzo y dar un
25 filo a sus uñas, y yo rogando a Jesucristo que por su bendito nacimiento no tuviésemos fortuna de llegar a descubrir vela, aunque fuera de cera. Pero el segundo día nos fué fuerza pelear con un bajel

---

21 *Día de Navidad* (o sea 25 de diciembre) *del año de 1645:* es la única fecha que nuestro bufón cita de un modo expreso.

holandés, y después de habernos peloteado más de una hora, se fué a pique, salvándose la gente.

Tomamos la derrota la vuelta de Bretaña, andando a caza de bajeles franceses, y en encontrándolos, poníamos bandera francesa; y de la misma 5 suerte, en encontrando bajeles holandeses, poníamos bandera holandesa. Llegamos a la costa bretona, donde cada día andaba el diablo en Cántillana, y se batía muy bien el cobre. Si el bajel que encontrábamos era fuerte, huíamos como galgos, 10 y todos muy tristes, y yo reventando de alegría; y en siendo débil y de poca defensa, cerrábamos de tropa a caiga quien cayere. Y yo, por no dar alguna mala caída, me metía debajo de cubierta, y en estando pasada la borrasca, subía a saber si 15 era presa de vino, y en siéndolo, peleaba yo solo más que todos, pues mientras los marineros se chupaban media docena de potes, me chirriaba yo una.

Anduvimos muchos días, unas veces huyendo por reconocer ventaja, convertidos los más valien- 20 tes en temerosas liebres, y otras veces dando alcances, por ser nosotros más fuertes, trasformado el más cobarde en invencible león. Al fin, habiendo echado algunos bajeles a fondo, y cogido presas de importancia, nos volvimos la vuelta de Flandes, 25 ayudados de un poniente favorable. Era una alegre fiesta de caramesa el vernos cuán bien lográ-

---

27 *Caramesa,* del francés *kermesse* o *karmesse,* que a su vez deriva de dos palabras flamencas *kerk,* iglesia, y *messe,* misa. Desígnase con ese nombre las fiestas patronales en las ciudad y pueblos de la antigua Flandes y de Bélgica.

bamos los ratos desocupados que teníamos, porque como el vino no nos había costado nada, bebíamos todos a discreción; y el mal humor que yo gastaba cuando llegábamos a embestir, lo trocaba a este tiempo en chancear y en ayudar a las faenas, no a las de los árboles y velas, sino a las de remojar los tragaderos. Eran siempre más largos estos oficios que los del Sábado Santo, y a la tarde veníamos a estar todos iguales y a caer unos sobre otros; al fin, vida de corsarios, y muerte de pasajeros.

Viniendo un día todos muy alerta por la costa de Francia, al tiempo que emparejamos con Calés, nos salieron a dar alcance dos bajeles holandeses, los cuales, más por fuerza que por grado, nos hicieron meter en Dunquerque, contra la voluntad del capitán de la fragata, que aun no contento de lo pasado, aun todavía quería probar su ventura; mas yo, viendo cuán buena había sido para mí el haber dado fin a mi viaje, salté en tierra y me entré en la villa. Y como otros buenos cristianos se van derechos a la iglesia, yo me fuí derecho a una taberna, y no metiendo en ella más de cuatro reales, empecé a pedir y a gastar como si fuera cargado de doblones, en confianza de hallar amigos o conocidos, porque mi oficio es unas veces barco lleno, y otras barco vacío.

Estuve allí unos días refrescando y descansando, y a la partida el maestre de campo don Fernando Solís me dió con qué pagar el gasto que había hecho y con qué venir hasta Nieporte, adonde Salvador Bueno, gobernador de aquella plaza, me amparó y ayudó para el camino. Llegué otro día a Brujas, adonde me vestí a lo polaco, y por ser Carnestolendas y traje ocasionado, faltó muy poco de no apedrearme.

Pasé de allí a Gante, en cuyo castillo hallé todo 5 regalo y agasajo; y al cabo de dos días hice mi entrada en Bruselas, que fué el segundo día de Cuaresma, adonde fuí muy bien recibido de mi amo, haciéndome la merced que siempre me ha hecho, y gozando en su palacio de la generosidad que 10 siempre he gozado. Fuí a visitar a los demás señores, en quien hallé la misma grandeza, y aun más que antes, y con más quilates aventajadas las dádivas. Llevaba también tras mí sus poquitos de muchachos, porque imagino que no se ha visto tra- 15 je más mirado ni hombre más perseguido que yo con él; y yendo a ver a mi dama, para mudar de vestido, me dijo el mercadante adonde la había dejado que a pocos días de mi partida se había ella echado al mundo, por quitarse de malas len- 20 guas; y que todos mis vestidos los había vendido y empeñado, sin haber dejado cosa ninguna en su casa.

Fuíme a la de su tía, la cual me recibió con mil zalemas, y me dijo que en aquel instante acababa 25

2-3 *Carnestolendas.* El Carnaval de 1646 transcurrió desde el domingo 11 hasta el martes 13 de febrero.

7-8 *El segundo día de Cuaresma:* el 15 de febrero de 1646, por lo tanto.

8 *Adonde fuí,* en la edic. de 1646. *Donde fuí,* en la de 1655.

12 *Hallé la misma,* en la edic. de 1646. La de 1655 suprime *hallé.*

de salir de allí su sobrina, y que estaba como un ángel, y que deseaba volver a mi poder, y que le había estado más de una hora persuadiendo para que me fuese a hablar y a dar un recado muy amo-
5 roso de su parte, y a disculparla del yerro que había hecho; y que el haberse hecho tan miserables los hombres para con las mujeres, le había obligado, por verse en necesidad, a enajenarme la ropa que le había dejado a guardar. Yo dije que al pun-
10 to le enviaría la respuesta de todo lo que le había dicho, por escrito, para que se la diera a su sobrina. Y despidiéndome de ella, me entré en casa de un amigo, y tomando recado de escribir, le compuse un romance, que decía de aquesta suerte:

15 Madama doña Escotofia,
ya no más, por no ver más,
puesto que hasta aquí he querido
cantar mal y porfiar.
Ya, mi reina, no me atrevo
20 sufrir más, por querer más,
porque agravios por finezas
es ya moneda usual.
Esa zalema a los moros,
ese tus tus a otro can,
25 esas flores a otro mayo,
esas chanzas a otro Bras.
Lleve el favonio suspiros,
lleve lágrimas la mar,
y lléveme a mí el diablo
30 si vos me engañáreis más.
Por vuestra causa he quedado
retrato del padre Adán,
siendo en corte, por lo menos,
polaco, a no poder más.

Vos, señora, habéis tenido
más conchas que no un caimán,
más cautelas que un Sinón,
más pleitos que una ciudad;
más entradas que no un reino, 5
más salidas que un lugar,
más visitas que una audiencia,
más aplausos que un mordaz;
más encuentros que los dados,
más ofrendas que un abad, 10
más vueltas que tuvo Troya,
más tiros que tiene Orán;
más que Angélica traspuestas,
más disputas que una paz,
más cebo que un pescador, 15
más uñas que un gavilán.
Y si más llegare a veros,
cuando juegue y diga más,
ruego al cielo que, en castigo,
diga topo y eche azar. 20

Hícelo un billete, y después de haberlo cerrado, se lo envié con un muchacho a la tía, echándoles a las dos la bendición para siempre.

En este tiempo mi amo, por verme en mi traje y hacerme dejar el ajeno, me hizo una pura man- 25 cha el vestido polaco en un banquete; pero al cabo de dos días salí a su costa hecho una parra de plata. Y por hacer alarde de la nueva gala, me fuí al salón de palacio, y andándome paseando por él, me

3 *Sinón: Vid.* pág. 50, t. I.
12 *Tiros* está aquí empleado en el sentido, ya anticuado, de cañones o piezas de artillería.
21 *Hícelo*, en la edic. de 1646. En la de 1655: *Hice.*

acordé de haber leído cómo en aquel mismo puesto el invencible emperador Carlos V, por hallarse enfermo de la gota y fatigado de los trabajos de la guerra, hizo renunciación de su imperio y reinos, y se fué a Yuste a retirarse y a tener quietud. Y queriendo aprovecharme de tan grandioso ejemplar, por verme enfermo del mismo achaque y fatigado de los trabajos de la paz, y por ver que se me va pasando la juventud, y que me voy acercando a la vejez, propuse de abreviar con más eficacia para irme a retirar y a tener sosiego en aquel ameno y deleitoso Yuste de la gran ciudad de Nápoles, metrópoli de todas las grandezas, maravilla de maravillas, cuyos montes son dulce olvido de los hombres, cuyos campos son prodigios ostentosos de la naturaleza, cuyo celebrado Seveto es emulación del Xanto y competidor del Patheolo, su muelle asombro del piramidal coloso, sus templos desperdicios del de Efesia, sus príncipes y señores el símbolo de la lealtad, la congregación del valor, el centro de la nobleza, el sol de toda la Europa y la flor de toda la Italia.

Para cuyo efecto traté al instante de hacer este libro, por hacerme memorable y porque sirva de despedida de mi amo y señor, para que, como tan gran príncipe, viendo que es cosa justa lo que le

17 *Patheolo:* así en las edics. de 1646 y 1655. En realidad, se alude al *Pactolo*, río de Lidia del cual se dice que arrastraba arenas de oro.

19 *Efesia*, en las edics. de 1646 y 1655. Las modernas corrigen *Efeso*. Pero no hay lugar a ello, puesto que cabe interpretar: *el templo de Diana Efesia.*

suplico, en premio de lo que le he servido, acordándose de la palabra que me dió después de la batalla de Tionvila, me dé licencia para retirarme a disponer de la merced que Su Majestad me hizo, a la fértil vera napolitana, teniendo mi celda en el 5
San Yuste de su ducado de Amalfi. Y estando en los últimos pliegos desta obra, llegó a esta corte la funesta y infeliz nueva de cómo a la Majestad Cesárea de la Emperatriz María había sido Dios servido de llevarla a mayor imperio, para que trocase 10
la corona que tuvo en esta vida por la corona de la gloria, cuyo justo sentimiento me inundó el corazón de suspiros y de llanto los ojos, porque en oír un tan tierno malogro y tan acelerada partida, ¿qué diamante no se ablandara, ni que risco no se en- 15
terneciera?

Y soy tan por todo extremo infelice, que siempre a una pena me sigue otra pena, a una desdicha otra desdicha; pues habiendo tenido suerte de servir a un tan gran Príncipe como fué Su Al- 20
teza Serenísima el Infante Cardenal, que en cam-

---

6 *Yuste* es forma anticuada del nombre *Justo*. Ahora bien; el monasterio al cual se retiró Carlos V estaba bajo la advocación de los santos Justo y Pastor. (Cabrera de Córdoba, *Felipe II*, t. I, 105.) Se le llamaría, pues, antiguamente *San Yuste*, ni más ni menos que también se llamaba así, en el siglo XVII (Fernández de Avellaneda, *Quijote* apócrifo, caps. XXIII y XXIV), a la iglesia magistral de los Santos Justo y Pastor, de Alcalá de Henares.

Es ésa la razón por la que algunos escritores extranjeros (por ejemplo, Carducci) traducen *Yuste* por *Saint Just*.

9 *La emperatriz María* falleció el 13 de mayo de 1646. (*Cartas*, VI, 324.)

pos de zafir pisa tapetes de luceros, al tiempo que más me amparaba y asistía, por ser perla del nácar de la divina Margarita, se lo llevó el cielo para que en él fuese celestial rubí; y cuando con toda liberalidad y grandeza la Majestad Real de la hermosísima Reina de Polonia me honraba y favorecía, trocó el reino estable por el eterno; y agora de presente la Emperatriz del orbe, reina de la hermosura, la Princesa de las flores, cuya belleza era sobrehumana, y cuyas virtudes eran divinas, porque gustaba de hacerme merced y de ayudarme con generosa mano, dejando a Alemania en un eterno caos, y a España en una confusa tiniebla, se ha partido a ser luz del sol y querubín entre los querubines; de modo que para que a mis tormentos no haya humana resistencia, me han faltado de cuatro años a esta parte tres colunas invencibles, tres deidades milagrosas, y tres floridos pimpollos de la casa de Austria, que han sido un Infante de España, hermano de un poderoso rey; una Reina de Polonia, mujer de tan gran Monarca y hermana de un Emperador, y una Emperatriz de Alemania, mujer del un Emperador del orbe y hermana de un Rey de España y de una Reina de Francia; de suerte que hoy me hallo tan huérfano y solo, que ya no tengo a quien volver los ojos,

3 *Margarita* se llamaba la esposa de Felipe III, madre del Infante-Cardenal, y margarita se llama también en latín a la perla.

6 *Reina de Polonia: Vid.* pág. 133, t. II. Estebanillo no menciona, hasta esta ocasión, su muerte, acaecida en 1644.

si no es a mi Rey y señor y a mi antiguo dueño el excelentísimo Duque de Amalfi, que a no estar debajo de su amparo y no hallarme tan obligado como me hallo a tanto favor y merced como me ha hecho y hace, me hubiera forzado el sentimien- 5
to de esta última muerte a irme a un desierto a hacer penitencia, o a un oculto y encumbrado monte, para que entre sus soledades me acabasen las melancolías que me afligen de la presente desdicha. Y por dar muestra de agradecido a tantos y tan 10
grandiosos beneficios como de Su Majestad Cesárea había recibido, compuse a su muerte los siguientes versos:

Cuando, lleno de albores,
entró el jurado mes, rey de las flores, 15
prestando a los jardines
avenidas de rosas y jazmines,
y dando a los vergeles
lluvias de lirios, flotas de claveles,
la flor más olorosa, 20
la más purpúrea y refulgente rosa
que pasó de Castilla
a ser del Sacro Imperio maravilla,
la que el Sol al miralla
le presentó vitoria y no batalla, 25
la Emperatriz María,
risa del alba y esplendor del día,
trágico golpe quiso
trasformarle el laurel en cipariso,
porque en tal desventura 30
nos faltase la luz y la hermosura.

---

15 *Mes:* el de mayo (*vid.* pág. 253, t. II, nota).

Jamás creyó su Atlante,
que se eclipsara Sol tan rutilante,
ni que de fiera parca horrenda huella
se atreviera a menguar Luna tan bella;
5 De hoy más no den las flores
fragancias de odoríferos olores,
ni tenga el mar bonanza,
ni se vistan los prados de esperanza:
sea todo agonía,
10 pues le faltó al Imperio el alegría,
hinchéndose con llanto muy profundo
de sentimiento y luto todo el mundo.

GLOSA

Aprended, flores, de mí
15 *lo que va de ayer a hoy;*
que ayer maravilla fuí,
y hoy sombra mía aun no soy.

Purpúreos claveles rojos
fueron mis facciones bellas,
20 todas racimos de estrellas,
todas soles a manojos;
mas agora son despojos,
y no aquello que antes fuí,
pues deshojó el alelí
25 la parca de mi hermosura;
y así de tal desventura,
aprended, flores, de mí.

Ayer me vió la campaña,
dando a sus flores olor,

14 *Aprended, flores, &.* Esta cuarteta fué glosada por Góngora (*Obras*, edición Millé, poesía n.° 195). Estebanillo alude a ella en otro lugar (I, 86), aunque, al citarla allí de memoria, le da un comienzo algo diferente.

mujer de un Emperador,
y hermana de un Rey de España;
y hoy un golpe de guadaña
me ha postrado adonde estoy,
y aquello que fuí no soy, 5
ni puedo volver a ser;
con que podrá el mundo ver
lo que va de ayer a hoy.

La corona de mi frente
tuvo ayer muy gran valía, 10
por ser de Reina de Hungría
y Emperatriz del Oriente;
por rosa resplandeciente
tal bien ayer merecí;
mas como mortal nací, 15
la parca cortó mi ser,
sin respetar ni temer
que ayer maravilla fuí.

Infanta nací en la cuna,
y en mi juventud hermosa 20
vine a ser reina y esposa
de un Sol de quien fuí la Luna:
tributóme la fortuna,
y agora feudos le doy,
y aunque en urna real estoy, 25
me sirve de desconsuelo
que ayer me ví Sol del suelo
y hoy sombra mía aun no soy.

Ya me parece, amigo lector, que será justo el dar fin a este volumen, porque no sería razón, tras 30 de tanta pena y sentimiento, escribir cosas de chanza cuando hubiera materia para ello; y así, me perdonarás el haberte dado el postre en tra-

gedia, pues harto me holgara yo y toda la cristiandad que Su Majestad Cesárea se gozara siglos de siglos, y darte, en lugar de sus epitafios fúnebres, una docena de romances alegres. Y así, cul-
5 pa a la muerte y no a mi pluma; pero porque te quedes saboreando con la miel del bureo y no lloroso con el trágico fin, porque sea postre agridulce como granada, hice una despedida de mi amo y de todos los señores y damas desta corte, advir-
10 tiéndote que me ha costado harto trabajo, porque su compostura es la más difícil que hasta hoy ha salido, por ser romance sin una letra vocal, que es la *o*, con ser la más necesaria de todas cinco, que es el siguiente:

15 Insigne Duque de Amalfi,
cuya fama a Italia ilustra,
y ella ufana a tus laureles
la da palmas a la pluma;
fuerte Alcides de Alemania,
20 cuyas deidades augustas
y águilas sacras rapantes
las preservasteis de injurias;
valiente Aníbal de Flandes,
pues en su primera angustia
25 le sacasteis invencible
de las tinieblas escuras;
Esteban se parte a Italia,
y antes de partir renuncia
el alegría y la chanza
30 y la gala de la bufa.
A Vuescelencia suplica
le dé licencia si gusta,
pues que sus males y achaques
la muerte y vejez anuncian.

Bruselas, quedad en paz;
damas, deidades purpúreas,
de cuya beldad se saca
quinta esencia de luz pura.
A reverder en el valle, 5
pues ya mi merced se afufa
a tener casa de naipes
y a vivir de garatusa.
Príncipes, duques, marqueses,
mi viaje se apresura, 10
y el partirme es para siempre
y la vuelta para nunca.
El fin de mis caravanas
anhela y pide pecunia,
que es la bella entretenida 15
sanguijuela que la chupa.
Valiente y fuerte milicia,
cuya infernal baraúnda
me hace temblar cada día,
y guardar muy bien la nuca, 20
a mi partida haced salva,
pues sabéis mis cancamusas,
y que en campañas de *requiem*
nunca estuve de *aleluya.*
Burguesía, ya se ausenta 25
esta tremenda figura,
que de lámparas y tazas
fué tarasca y fué lechuza.
Quedad en paz y quietud,
galeazas de la chusma, 30
pulillas de la salud,
venteras de carne cruda.

---

6 *Afufa: Vid.* pág. 132, t. II.
31 *Pulillas* es licencia bufonesca que se toma Estebanillo, ya que el tal romance está escrito sin el uso de la *o* (pág. 258, t. II). Muchas ediciones, entre ellas la de 1655,

Muy huérfanas quedaréis,
bellas y amenas bayucas,
el alma queda en rehenes,
ya que el cadáver se muda.
5 Mis niñas en esta ausencia
darán vertientes de zupia,
que si es muerte el ausentarse,
lágrimas den a sus urnas.
Si al que se muda, Jesús
10 siempre le ampara y le ayuda.
buen viaje y buen pasaje,
pues que ya pinta la uva.

---

y algunas modernas, leen «polillas»; pero no así la de 1646 y la de la *B. A. E.*, a las cuales seguimos en esto. Véase en la pág. 149, l. 3, del t. I, un pasaje donde Estebanillo usa la voz «polilla», con *o*.

FIN DE LA OBRA

REGISTRO ALFABÉTICO

DE ALGUNOS PERSONAJES, LUGARES, PALABRAS Y COSAS A QUE SE HACE REFERENCIA EN LAS NOTAS (*)

Absalón, I, 134.
Abundancia de erres, I, 144.
Acordaos, flores, de mí, I, 86; II, 256.
Afufarse, II, 132, 189, 224, 259.
Alatés, I, 167.
Alba (las coplas del perro de), I, 196.
Alburquerque (Duque de), I, 66, 147.
Alcandora, II, 77.
Alcorcón, I, 249; II, 164.
Alesna, I, 247.
Alicantina, I, 187.
Aldringer (Mariscal), I, 242.
Alegrarse las pajarillas, I, 245.
Almirante de Castilla, II, 173 y 229.
Amarilis, comedianta, I, 119.
Anacardina, I, 64.
Andar al morro, I, 64.
Andarse a la flor del berro, I, 63.
Andernaque, II, 10.
Antepresa, I, 205; II, 19.
Antojos, II, 72, 92.
Aprended, flores, &. Vid.: *Acordaos, &.*
Aquitofel, I, 110.
Aragón (Rey D. Fernando de), II, 39.
Architriclino, I, 99.
Arellano (D. Pedro de), II, 193.
Argadijo, II, 48.
Arias de Peñafiel (Damián), cómico, I, 119.
Armada, por ejército, I, 216, 222; II, 76, 77, 128, 129, 130, 132, 138 y 197.
Armada naval, II, 193.
Arras, II, 101.
Atalanta, I, 151; II, 76.
Austria (Doña Juana de), I, 106, 109.
Auto de El Rico Avariento, I, 138; II, 221.
Autor, I, 120, 123.
Aventuras del Barón de Munchhanssen, I, 144.

(*) Hubiéramos querido redactar un registro más amplio, que abarcase el texto y las notas. No siéndonos posible, presentamos éste, mediante el cual se podrá, en la mayoría de los casos (aunque sólo se refiere a las notas), orientarse acerca de los lugares pertinentes del texto.

Bachiller, I, 64.
Bailliu, II, 56.
Baldo, II, 186.
Balón, I, 73.
Bamba. Vid.: Caballo de...
Barberini (Cardenal), I, 131.
Bartolo, II, 186.
Bartolomicos, II, 164.
Barrachel, I, 219; II, 180.
Batir la estrada, II, 191.
Batuecas (valle de las), I, 65.
Bayuca, II, 189.
Beck (Barón de), II, 115.
Belalcázar (Córdoba). Vid.: "Potros de Gaeta".
Belerma, II, 122.
Benavente, I, 160.
Bernardinas, I, 231; II, 208.
Bialowicz (Polonia), II, 154.
Blancos, I, 75.
Bohonería, bohonero, I, 182, 196, 200, 212.
Bolonia (Italia), II, 169.
Bolulu, I, 243.
Borbón (Doña Blanca de), II, 114.
Borbón (Doña Isabel de), esposa de Felipe IV de España, II, 182.
Borja (D. Melchor de), I, 217; II, 193.
Borra (Mosén), I, 54; II, 39 y 161.
Bracamonte (D. Melchor de), I, 143.
Brandevín, brandevinero, I, 49, 165; II, 160.
Brindis (Italia), II, 32.
Brocha, I, 74.
Brodio, I, 238; II, 93, 188, 200.
Bruselas, II, 83.
Buenaboya, I, 128.
Bueso (Don), II, 27
Bufones, I, 53; II, 39, 161, 175.
Bullón (Duque de), II, 28.
Buqnoy (Conde de), II, 47.
Burgo, I, 210.
Butera (Príncipe de), I, 106, 108.
Buz (hacer el), II, 192.

Caballero, II, 210.
Caballo de Bamba (el), II, 25.
Cabe, I, 107.
Cabestrero, I, 104.
Cádiz, I, 165.
Calabria, I, 86.
Calderón, I, 45, 143 y 146, y II, 87 y 234.
Calepino, II, 18.
Campalátaro (Marqués de), I, 222.
Candiota, I, 195.
Caño de Bacinguerra, II, 107.
Capua (D. Marco Antonio de), I, 241.
Caramesa, II, 247.
Caramuzales, I, 89.
Caravajal (Pedro de), II, 26.
Carbonero (Pedro), I, 171.
Carda (la gente de la), I, 154.
Cardona (Duque de), I, 235.
Carteta (juego de la), I, 74.
Cásaro (el) de Palermo, I, 106; II, 201.
Castañeda (Marqués de), II, 68.
Castel-Rodrigo (Marqués de), II, 124.
Castel Rojo (Negroponto), I, 89.
Cataluña, I, 224.
Cazar gangas, I, 113.
Centinela (la), I, 88.
Cervantes, II, 53, 65, 89.
Cerro, II, 125.
Cierra, II, 138.

Cíntor, cómico, I, 119.
Clicie, I, 202.
Clines, I, 69.
Coallas (Puerto). Vid.: "Maino", I, 90.
Cocaña, I, 98; II, 223.
Cocar, I, 197.
Coimbra (Portugal), I, 162.
Colada, I, 115.
Colgar, I, 229.
Conducta, I, 221.
Conociencia, I, 156, 182; II, 31, 45, 175, 241.
Contagión, I, 75, 212.
Conterilla, I, 183.
Conversación (casa de), I, 75; II, 184, 227.
Copia, II, 73.
Córdoba, I, 196; II, 107.
Corózain, II, 174.
Cortar la cólera, I, 67; II, 242.
Corrincho, II, 65.
Cruz de Ferro (Galicia), I, 62.
Cuacos (Cáceres), I, 65.
Cuatro Columnas (Cabo de), I, 87.
Cuevas (Monasterio de las), Sevilla, I, 49.

Chera (hacer buena), I, 213.
Chiculíos, I, 231.
China, I, 168; II, 72, 158.

Daca, I, 210.
Dar, por tratar de, I, 150, 193.
Delacerado, I, 118.
Descendencia, I, 57.
Despalmar, II, 90.
Despedimiento (el) del alma y el cuerpo, I, 114; II, 58.
Diego (Don), I, 210.
Dingandux, II, 192.
Doblarse, I, 75.
Domingo de Tentación, I, 231.
Doria. Vid.: "Oria".
Durindana, I, 92

Echar de la oseta, II, 62.
Encaje, I, 61.
Encina (los disparates de Juan de la), II, 206.
Encoplados, I, 197.
Engerto, I, 58.
Enríquez (D. Fadrique), II, 167.
Entrego, I, 66, 199.
Escarramán, I, 113, 170.
Esguazar, I, 83, 104, 105, 107, 143; II, 131.
Esguízaro, II, 235.
Esmarchazo, I, 219; II, 168, 187.
Españolado, II, 235, 244.
Esperón (Orden del), I, 211.
Espión, I, 217; II, 235, 245.
Esplandián, II, 30.
Estala, II, 22.
Este (Marqués de), I, 230.
Estados Bajos. Vid.: "Países Bajos".
Esteban (Orden de San), I, 79.
Estudios de Estebanillo, I, 63, 245; II, 154, 245.

Faltriquera, I, 71.
Familiares, I, 207.
Fanfino (San), I, 98.
Feno, II, 95.
Feria (Duque de), I, 241.
Fernandina (Duque de), I, 192.
Ferreruelo, I, 68, 111, 114, 115, 116, 198, 199; II, 8.
Fiucia, II, 128.
Flandes (¡no hay más!), II, 80, 198.
Flor del berro, I, 63; II, 189.

Flor, en el juego, I, 63, 74, 75; II, 52, 243.
Folleta, I, 148.
Francia, II, 134.
Fuenclara (Conde de), II, 25.
Fusta, I, 74, 75.

Gaeta, Gahete. Vid.: "Potros de Gaeta".
Galaor (Don), II, 30.
Galicia, I, 58, 59, 62, 107, 162, 189; II, 228.
Galilea, I, 77.
Garcilaso, II, 59.
Garibay (el alma de), II, 148.
Garlar, I, 55.
Garrama, II, 122.
Gatazo (Dar), I, 100.
Genízaro, II, 162, 166.
Genoveses, I, 90.
Gera. Vid.: "Chera".
Goma, I, 98
Góngora, I, 86, 170, 227, 236; II, 32, 50, 137, 192, 256.
Gongorizar, II, 205.
Gonzaga (D. Vicente de), II, 168.
Gorgotero, II, 10, 11.
Grana y Carreto (Marqués de la), II, 219.
Granada, II, 34.
Graso, I, 117; II, 169.
Gúmenas, I, 94.
Guzmán, I, 84.

Habitador, I, 105.
Hacer conveniencia, I, 197.
Hacer la razón, I, 151; II, 14.
Harona posta, I, 134. Vid.: "Posta".
Heilbronn (Alemania), II, 128.
Hocino, I, 128.
Hola, II, 151.
Horas, I, 117.
Hungría, II, 125
Hungría (Rey de), II, 7, 41.

Idiáquez (D. Martín de), I, 256.
Iglesia me llamo, I, 228, 232.
Illescas (Toledo), I, 158.
Incausto, II, 207.
Infante Cardenal D. Fernando, I, 225, 231, 239; II, 106, 114, 117.
Infante D. Pedro de Portugal, I, 184.
Inglaterra, II, 243.
Ingleses, I, 164, 206.
Intrínseco, I, 228.

Japón, I, 130.
Jarandilla (Cáceres), I, 65.
Jarifo, I, 62.
Jerges, I, 256; II, 113.
Jerónimo (San), I, 230.
Jifero, I, 118, 204; II, 44.
Juan = moneda, I, 75.
Jubón, I, 76, 110.
Judas, I, 86.
Juego del gato al rato, I, 247.
Juliers, II, 8, 16.

Ladrón principiante, I, 134, 135.
Lamia, II, 114.
Lamparones, I, 210.
Latín. Vid.: "Estudios".
Leipzig, II, 133, 135.
Leiva (D. Pedro de), I, 85.
Leopoldo Guillermo (Archiduque), II, 67, 139, 148.
Lesage, I, 120.
Letrados, I, 178.
Liarte, II, 49.
Licenciado, I, 141.
Lilibeo, II, 37.
Lituania, II, 154.

Lobo = borrachera, II, 18, 84, 178, 194, 232.
López de Avalos (Ruy), II, 80.
Lovaina (Bélgica), II, 18, 37.
Luxemburgo, II, 68.

Maino (Puerto), I, 87. Vid.: "Coallas".
Malco, I, 134.
Malcocinado, I, 50, 83, 237.
Mamora (la), I, 201.
Mandato (Sermón de), I, 199.
Manrique de Aguayo (don Diego), I, 155.
Mansfeld, II, 9.
Mareta, I, 100.
María (Emperatriz), II, 7, 41, 253.
Marradas (D. Baltasar de), II, 42.
Marrajo, I, 193.
Mastrique, Maestrich (Holanda), II, 23, 28.
Mattei (Cardenal Gaspar), II, 177.
Mecina = Mesina, I, 85, 97.
Meco, I, 59.
Médicis (el Príncipe Cardenal Carlos de), II, 172.
Médicis (el Príncipe Matías de), II, 65, 271.
Médicis (D. Pedro de), I, 125.
Medina de las Torres (Duque de), II, 175.
Mejicanos (pesos), I, 90; II, 236.
Melazo (Sicilia), I, 98.
Melo (D. Francisco de), II, 122.
Menor criado, I, 43; II, 230.
Mentir por la gola, I, 224.
Mercadante, I, 82, 164, 201, 207, 209; II, 10.
Mérida, I, 174.
Meter refresco, I, 90.
Metresa, I, 144; II, 198.
Miñona, II, 113.
Miravel (Marqués de), I, 210.
Mochazos, II, 27, 31.
Mogollón (comer de), I, 117.
Mohada, I, 204.
Monferrat (Casal de), I, 216.
Montambanco, I, 181; II, 63, 181.
Morcón, I, 86, 258.
Morlaco, I, 217.
Moscovia, II, 156.
Mozo de golpe, I, 131, 240.
Mulas de San Francisco, I, 143.
Músicos, I, 250.

Nápoles, I, 125 (Porta Capuana); 153-154 (Muelle, Garitta della Guardia, Galitta di don Francesco); 155 (Chorrillo); II, 173, y ¿188? (Chorrillo); 181 (Molo Picolo); 181 (comedias españolas).
Nápoles (fr. Juan de), II, 193.
Navarro de Viamonte (don Felipe), I, 83, 142.
Noblíes, I, 97.
No, redundante, I, 77; II, 212, 217.
Nubes, I, 154.

Operación, II, 98.
Oquendo (D. Antonio de), I, 194.
Ordinaria (la), I, 67.
Oria (Cardenal), I, 116.
Oropesa (Conde de), II, 229, 234.
Orsúa (D. Pedro), I, 191.

Padilla (D. Carlos de), II, 15.
Pagamento, I, 199.
Países, o Estados, Bajos, I, 46, 54.

Palanquín, I, 112.
Palermo, I, 106, **201** (Cásaro).
Paliza (Monsieur de la), I, 147.
Palmatoria = palmeta, I, 72.
Paris (leyenda de), I, 59.
Parolina, II, 81.
Particular, I, 186
Paulín (Juan), I, 167; II, 148.
Pavón indiano, I, 85, 154
Peje Nicolao, II, 105.
Penada (Taza), II, 29.
Penitente de sangre, II, 35.
Peñas = irse, I, 122
Percaccio = correo, I, 108.
Percacheros, I, 136.
Perdonar a Meco, I, 59.
Peregil rumiado, I, 82.
Pérez de Montalván (Juan), I, 138.
Perkeo, I, 53.
Persiano (el), I, 203.
Piccolómini (Cardenal Ascanio), II, 176, 183.
Piccolómini (Eneas Silvio), Pío II, I, 43.
Piccolómini (D. Francisco), II, 171.
Piccolómini (José Silvio), I, 43.
Piccolómini (Octavio, Duque de Amalfi), I, 43; II, 37, 40, 62, 77, 129, 161, 199.
Píctima, II, 29.
Pies, I, 122.
Pimentel (D. Diego), I, 85.
Pintas (juego de las), I, 61, 74.
Piñata, I, 102; II, 191.
Pipiripao (el), I, 215.
Pirámide (el), II, 19.
Pisa (Italia), I, 72 (el Santo Cristo).
Planeta y Rey IV (el) = Felipe IV, I, 81.
Pluvias, I, 233; II, 86, 128.
Polonia, II, 133, 134, 145, 154, 254.
Portugal, I, 162, 166, 173; II, 122.
Posta, II, 69. Vid.: "Harona".
Potros de Gaeta, I, 94, 212.
Praga, II, 42.
Presos, II, 93.
Prima rendida, I, 110.
Primera, juego, I, 74.
Prometer, I, 57.
Puñoenrostro (Conde de), I, 115.
Purpuén, II, 203.

Quevedo, I, 113, 115, 170; II, 146, 222.
Quien, I, 79, 96, 206, 257; II, 24, 186.
Quínolas, juego, I, 74.

Ración = rançón, II, 28.
Ramo (en las tabernas), I, 163, 183; II, 230.
Rapacerías, I, 66.
Rapaterrón, I, 128.
Raspar, I, 117, 257.
Raspatoria, I, 117.
Real (capitana), I, 105.
Reformado, I, 14, 242; II, 120, 239.
Relevados, I, 88; II, 70.
Relevante, II, 182.
Rendibuy, II, 8, 191.
Resistero, II, 245.
Rijoles (Calabria), I, 86.
Roberto el Diablo, I, 60.
Rocroy (batalla de), II, 202.
Rochela (Prior de la), I, 221, 222.
Rodamontadas, II, 164.
Roma, I, 70 (la Judería, la Trinidad del Monte); 220 (Calle Ferratina o Frat-

tina); II, 177 (la Villa Mattei).
Romances, I, 153 (del potro rucio); 158 (de D. Gayferos); 161 (de Inesilla); 209 (de Montesinos); 219 (Mira, Zaide, &); II, 8 (Bajaba el gallardo Hamete); 27 (En la antecámara solo); 52 (De Mantúa salió el Marqués); 120 (De los desdenes de Menga); 126 (Mal lograda fuentecilla); 151 (Hortelano era Belardo).
Ronca, II, 47, 185.
Roya, I, 103.
Ruedas (Mecanismo de), aplicado a la navegación, I, 97.
Rupelmunde (Bélgica), II, 55.

Saboya (Príncipe Emanuel Filiberto de), I, 78.
Saboya (Príncipe Tomás de), II, 17, 51, 59, 88.
Sahagún (cuba de), I, 176.
Saint-Malo, I, 205.
Sajonia Lauenburg (Príncipe Francisco Alberto de), II, 126.
Salsereta, II, 34.
Salvatierra (Pontevedra), I, 58.
Sancochar, I, 83.
Schenck (el fuerte de), II, 19.
Sepan cuantos, I, 131.
Serrana (la) de la Vera, I, 65.
Seteno día, I, 204.
Sevilla, I, 178 (avenida; Cartuja); 179 (agua de la Alameda).
Sinón, I, 50, 111; II, 251.
Sobre peine, I, 103, 226.
Solemnizar, II, 94.
Solingen (Alemania), I, 258.
Sornar, II, 187.
Supresión de pasajes de la obra en las ediciones modernas, II, 56, 85.
Surtida, II, 237.

Tabla = besa, I, 101, 115, 209; II, 31, 80, 171.
Taco, I, 114.
Talanquera, I, 257.
Taller, I, 149.
Tartagona (la bella), II, 8.
Temporales, I, 98; II, 172.
Tira = obtiene, I, 104, 150, 255; II, 79.
Tirlemont (Bélgica), II, 16.
Tiros, II, 251.
Tizona, I, 115.
Tmesis o *trajectio*, II, 191.
Toralto di Aragona (don Francisco), II, 229.
Tornillero, I, 49.
Tornillos, I, 146, 189.
Tostón, I, 162.
Totavila (D. Francisco y don Vicente), II, 219.
Trapaza, I, 64.
Traspalar, I, 233
Traspaso (ayunar al), I, 118; II, 13.
Tremolar = temblar, I, 145.
Tribu (el), I, 211.
Trinchea, I, 220, 251; II, 103, 130, 210, 216.
Tur, II, 83, 92, 97, 110.
Turco (el), I, 203.

Ulloa (D. Pedro de), I, 243, 254, 259
Untar, I, 139, 185.
Uña de la gran bestia, II, 155.

Valladolid, I, 50, 83, 237 (malcocinado); 203 (la torre de la Antigua)

Vega (Lope de), I, 118, 153, 171; II, 151.
Veinticuatreno (paño), I, 157; II, 162.
Velada (Marqués de), II, 165.
Vélez (Marqués de los), II, 172.
Venturero, I, 117.
Verdea, II, 170
Viamonte. Vid.: "Navarro".
Viento de mapa, I, 60.
Villaje, I, 213, 246, 249; II, 102.
Villamor (D. Pedro de), II, 9.
Vitela, I, 82.
Vizconte (Bernabé), II, 31.
Vizconte (Marqués), II, 24.
Volqueando, I, 251.
Vos, II, 166.
Vuelve a casa, pan perdido, II, 120, 189, 192.

Worms, II, 44.

Xera. Vid.: "Chera".

Yeguas (Golfo de las), I, 92.
Yuste (San), II, 253

Zaragoza, II, 201 (Cruz); 227.
Zúñiga (D. Francesillo de), I, 53; II, 161.

ÍNDICE DEL TOMO SEGUNDO

Páginas

Portada.................................. 5

Capítulo séptimo [1634-1638, o 1639]. — Que trata del viaje que hizo a los Estados de Flandes; una pendencia ridícula que tuvo con un soldado; la junta que hizo con un vivandero, y otros muchos acaecimientos.............................. 7

Capítulo octavo [1639-1640]. — En que declara la vuelta que dió a los Estados de Flandes sirviendo de correo, y lo que le sucedió en el socorro y batalla que dió su amo en Tionvila, y de cómo fué recibido en el servicio de Su Alteza Serenísima el Infante Cardenal, y otra mucha variedad de sucesos.................................. 67

Capítulo nono [1640-1642]. — Donde prosigue el fin que tuvo la referida máscara, la salida que hizo a campaña cuando se sitió Arras; el chiste que le sucedió con un vivandero; lo que le pasó a la retirada con su dama, y la nueva campaña de Aire, enfermedad y muerte de Su Alteza, y su partida a Alemania, en busca de su amo el Duque de Amalfi.............................. 97

Capítulo décimo [1642-1643]. — En que prosigue el fin que tuvo aquel sitio y del viaje que hizo al reino de Polonia, y de lo que le sucedió a la vuelta en la batalla de Lipzig que dieron los imperiales a los suecos, y un reencuentro que tuvo con un trozo de vivanderos, y de la vuelta que dió a Flandes, y después al Imperio.............. 133

Páginas

CAPÍTULO ONCE [1643-1645]. — En que cuenta el segundo viaje que hizo al reino de Polonia, el desafío que tuvo con un estudiante polaco, la llegada a Viena y partida a Italia, y lo que le sucedió en el camino con un capitán alemán, y los viajes que hizo a Roma y Nápoles, hasta llegar a España .. 153

CAPÍTULO DOCE [1645]. — En que prosigue su llegada a España, y de dos ridículos casos que le sucedieron con una moza de posadas y un moderno ingeniero; de la merced que le hizo Su Real Majestad, y de un nuevo galanteo que le sucedió en ella, y de los demás acaecimientos que tuvo hasta llegar a San Sebastián.......................... 197

CAPÍTULO TRECE [1645-1646]. — En que prosigue el viaje que hizo a Flandes, los naufragios que le sucedieron en el camino y los palos que le dieron en Inglaterra, la llegada a Bruselas y la despedida para Nápoles........................ 241

REGISTRO ALFABÉTICO DE LOS TOMOS I Y II..... 261

ÍNDICE DEL TOMO II.......................... 269